Créer et aménager
son
jardin

Créer et aménager
son
jardin

Un guide complet pour dessiner
et planter un superbe jardin

Peter Mc Hoy

Traduit par Moreau et Jérôme Goutier

Sélection
Champagne
inc.

Édition originale publiée en Grande-Bretagne par Hermes House
sous le titre *The Ultimate Garden Planner*

Éditrice : Joanna Lorenz
Assistante d'édition : Catherine Barry
Styliste : Michael Morey
Illustrateur : Neil Bulpitt

Cet ouvrage a déjà été publié en grand format sous le titre : *Créer et aménager son jardin*
Traduction : Danièle Moreau et Jérôme Goutier

ISBN 2-84198-181-9
Dépôt légal : avril 2002
Imprimé en Chine

**Distribué par
Sélection Champagne Inc.
Montréal, Québec
(514) 595-3279**

SOMMAIRE

....

✳ CI-DESSUS
Soyez audacieux dans un jardin de ville,
en tirant parti de toutes les structures.

INTRODUCTION

Si parmi les jardiniers que nous sommes, beaucoup prennent plaisir à travailler dans leur jardin, rares, en revanche sont ceux qui sont entièrement satisfaits, car il y a toujours quelque chose à améliorer. Certains souhaiteraient posséder un jardin plus grand, tandis que d'autres se contenteraient d'un terrain plus petit ou plus fonctionnel. Cependant, nous devons nous résoudre à faire au mieux avec ce que nous avons. Nous voudrions souvent mettre en œuvre des projets d'améliorations ou d'embellissements mais nous ne savons pas toujours comment faire.

Le jardinage ne consiste pas seulement à faire pousser des plantes, mais aussi à les mettre en valeur pour donner à un jardin tout son intérêt. Les styles de jardins sont très nombreux et ce qui plaît à une personne peut déplaire à une autre : ce qui importe, c'est que le plan de votre propre jardin vous satisfasse avant tout. Ce livre a pour objectif de vous aider à créer un jardin qui soit le reflet de vos goûts, de votre personnalité et de vos envies.

En s'inspirant de l'expérience de jardiniers passionnés qui ont su tirer le meilleur parti de terrains peu prometteurs, cet ouvrage pratique vous aidera à réaliser les premiers plans de votre jardin et vous guidera dans le choix des plantations et la réalisation de constructions simples.

❧ CI-DESSUS
Un coin du jardin où il fait bon se détendre.

❧ PAGE DE GAUCHE
Le mur et l'allée en briques s'intègrent parfaitement aux plantes.

CONCEVOIR FACILEMENT SON JARDIN

Vous pouvez faire appel à un professionnel pour la conception
de votre jardin, mais c'est une démarche coûteuse qui vous procurera
moins de satisfaction que si vous le créez vous-même.

Ce chapitre vous initie aux techniques de base qui vous permettront
de dessiner facilement le plan de votre jardin. De nombreuses idées originales
vous sont proposées dans les chapitres suivants ; inspirez-vous en librement,
mais veillez à ce que le plan final corresponde le plus possible à vos désirs.

En appliquant les différents conseils et en vous entraînant à dessiner
sur papier, vous apprendrez rapidement à concevoir votre jardin sans difficulté.

❧ CI-DESSUS
Un jardin étonnant où l'eau et le dallage s'harmonisent parfaitement.

❧ PAGE DE GAUCHE
Ce jardin de campagne, parfaitement conçu, marie généreusement
des massifs colorés de fleurs et d'arbustes.

FAIRE LE POINT

Si vous concevez et plantez un jardin à partir d'un terrain vierge, vous commencerez par établir une liste de souhaits ; si au contraire vous redessinez un jardin existant, la première étape consiste à choisir ce que vous voulez conserver.

Ne laissez jamais un élément existant vous imposer le style de votre nouveau jardin : cherchez à l'intégrer. Vous pouvez par exemple, être limité par un arbre de grande taille ou un garage inesthétique. Déplacer un garage et son chemin d'accès n'est pas chose simple ; en revanche, le tracé des allées est parfaitement modifiable et souhaitable quand celui-ci mène de façon inesthétique dans le jardin.

Établissez une liste détaillée de ce que vous souhaitez conserver, intégrer ou améliorer.

LISTE DE SOUHAITS

Notez vos désirs avant de commencer à dessiner. Vous ne les réaliserez probablement pas tous, mais le fait de décider ce qui est prioritaire vous évitera d'importants oublis.

Selon vos goûts, prenez en compte ce que vous jugez indispensable – que ce soit un endroit pour étendre le linge ou la mise en place d'un point d'eau –, puis les éléments d'importance secondaire.

Lors de la conception de votre jardin, gardez toujours présents à l'esprit ces éléments principaux, en essayant d'en intégrer le plus grand nombre, sans toutefois compromettre l'équilibre général.

L'espace dont vous disposez limitera sans doute ce que vous pourrez garder de façon définitive : exploitez avant tout les éléments essentiels et en fonction de l'espace restant, optez pour les éléments secondaires.

LES ÉLÉMENTS ESSENTIELS

	Indispensable	Important	Souhaitable
Plates-bandes d'annuelles	[ ]	[ ]	[ ]
Massifs de vivaces	[ ]	[ ]	[ ]
Massifs d'arbustes	[ ]	[ ]	[ ]
Arbres	[ ]	[ ]	[ ]
Pelouse	[ ]	[ ]	[ ]
Zone de graviers	[ ]	[ ]	[ ]
Terrasse	[ ]	[ ]	[ ]
Barbecue	[ ]	[ ]	[ ]
Sièges/mobilier	[ ]	[ ]	[ ]
Rocaille	[ ]	[ ]	[ ]
Bassin	[ ]	[ ]	[ ]
Fontaine/pièces d'eau	[ ]	[ ]	[ ]
Espace plus sauvage	[ ]	[ ]	[ ]
Serre/véranda	[ ]	[ ]	[ ]
Kiosque/tonnelle	[ ]	[ ]	[ ]
Abri de jardin	[ ]	[ ]	[ ]
Verger	[ ]	[ ]	[ ]
Jardin d'aromates	[ ]	[ ]	[ ]
Potager	[ ]	[ ]	[ ]
Treillis/arche/pergola	[ ]	[ ]	[ ]
Bac à sable/aire de jeux	[ ]	[ ]	[ ]
Endroit pour le linge	[ ]	[ ]	[ ]
Emplacement poubelles	[ ]	[ ]	[ ]
Tas de compost	[ ]	[ ]	[ ]
....	[ ]	[ ]	[ ]
....	[ ]	[ ]	[ ]
....	[ ]	[ ]	[ ]
....	[ ]	[ ]	[ ]
....	[ ]	[ ]	[ ]
....	[ ]	[ ]	[ ]
....	[ ]	[ ]	[ ]

✿ PAGE DE DROITE

Le croquis de base doit être simple et ne faire apparaître que les informations indispensables à votre projet de nouveau jardin.

RELEVÉS ET MESURES

Pour éviter de commettre des erreurs qui pourraient vous coûter cher, commencez par faire un croquis sur papier du jardin en l'état et ajoutez-y l'essentiel de vos idées.

Laissez de la place sur les marges pour les mesures et notez uniquement les dimensions des principales structures que vous souhaitez retenir – arbres, allées ou garage. Les petits jardins rectangulaires sont plus faciles à mesurer : compter les panneaux de clôture suffit parfois à en calculer les dimensions. Pour déterminer

Si votre jardin est·grand, divisez-le en plusieurs plans que vous pourrez réunir par la suite, mais faites figurer l'ensemble d'un petit jardin sur une seule feuille de papier.

l'emplacement des autres éléments, mesurez perpendiculairement à partir des limites du terrain.

Dans un jardin de forme plus complexe, procédez de même en utilisant une ficelle placée à 90° sur un des côtés que l'on sait droit, et mesurez, toujours perpendiculairement par rapport à cette ligne.

MATÉRIEL NÉCESSAIRE

- Un ruban plastifié de 30 m, facile d'emploi, qui ne se détend pas.
- Un mètre à ruban de 2 m pour de plus petites dimensions.
- Des piquets pour prendre des repères et maintenir en place l'extrémité du mètre à ruban (par exemple des brochettes métalliques).
- Crayons, gomme et taille-crayons.
- Un écritoire à pince avec du papier millimétré.

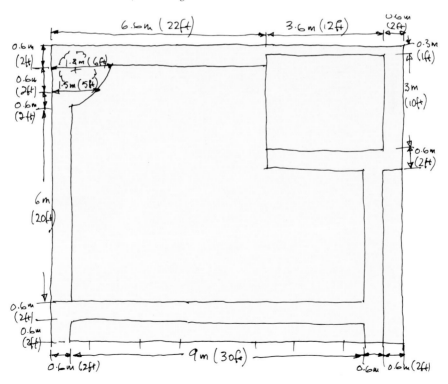

TRACER LE PLAN SUR PAPIER

Quand on redessine un jardin, l'intérêt commence dès que la structure de base figure sur le papier et que l'on opère des transformations, en appliquant ses idées. Le dessin à l'échelle est le stade suivant qui permet d'atteindre ce but.

Dès que le croquis rudimentaire du jardin se transforme en plan précis dessiné à l'échelle, le projet se concrétise, certains rêves prennent forme, et les étapes suivantes vont s'en trouver simplifiées.

Seul un dessin à l'échelle permet d'ajouter de nouveaux éléments : l'évaluation de la taille des massifs, des pelouses, de la surface des pavages et par conséquent le choix de matériaux adaptés.

Utilisez pour ce dessin du papier millimétré, en bloc ou à la feuille en fonction de la taille de votre jardin (en vente en papeterie ou dans des magasins spécialisés).

Choisissez une échelle qui vous permette de faire figurer votre plan sur une seule feuille, ou plusieurs assemblées s'il n'est pas possible de faire autrement. Pour la plupart des petits jardins, l'échelle 1/50ᵉ convient (2 cm pour 1 km) ; pour un jardin plus grand, l'échelle 1/100ᵉ est plus adaptée.

Dessinez tout d'abord les contours du jardin et l'emplacement de la maison, avec celui des portes et des fenêtres. Ajoutez tous les éléments que vous désirez conserver. Vous devez avoir pris toutes les mesures nécessaires du jardin qui figurent maintenant sur le croquis.

Pour obtenir un plan très clair, éliminez ce qui n'apparaîtra pas dans le projet final. Sur le croquis à droite, la tonnelle a été représentée car son emplacement convenait et il aurait été difficile de la déplacer. L'arbre dans le coin a disparu du projet final, mais reste présent à ce stade car il aurait pu être retenu dans un projet différent.

CONSEILS PRATIQUES POUR LE DESSIN

Appliquez ces conseils si vous n'avez encore jamais dessiné de plan de jardin :

• Dessinez d'abord les limites extérieures du jardin, ainsi que l'emplacement de la maison et tout autre élément majeur, et assurez-vous de l'exactitude des dimensions avant d'ajouter tout autre élément.

• Dessinez ensuite les éléments faciles à positionner, si vous êtes suffisamment sûr de leur emplacement et si vous avez décidé [de] les maintenir dans le projet [fina]l : massifs rectangulaires, bassin [circul]aire ou abri de jardin…

• Tracez à l'encre les éléments fixes et définitifs, comme les limites du terrain, les allées. Dessinez au crayon ceux susceptibles d'être déplacés, vous ne les passerez à l'encre qu'en dernier lieu.

• Dans la mesure du possible, utilisez un compas pour dessiner les courbes et les cercles. Si cet instrument ne convient pas à toutes vos lignes courbes, vous pouvez acheter des règles flexibles pour réaliser les moins régulières.

UTILISER VOTRE PLAN

1 Même les dessinateurs les plus expérimentés réalisent un grand nombre de croquis grossiers avant de dessiner la version définitive. Pour ne pas avoir à redessiner le plan de base, photocopiez-le ou utilisez du papier calque.

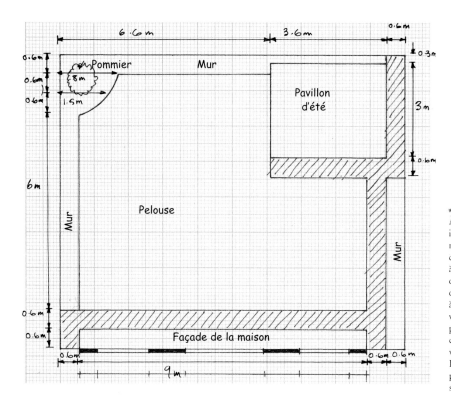

6.6 m 3.6 m 0.6 m
0.6 m Pommier Mur 0.3 m
0.6 m 8 m
0.6 m 1.5 m Pavillon d'été 3 m
0.6 m
6 m
Mur Pelouse Mur
Façade de la maison
0.6 m
0.6 m
0.6 m 0.6 m 0.6 m
9 m

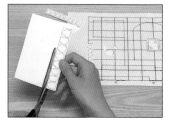

❧ CI-CONTRE
À l'aide des informations notées sur un croquis réalisé à main levée dans le jardin, dessinez un plan à l'échelle que vous utiliserez pour la conception de votre projet. Pour ce faire, le papier millimétré sera plus efficace.

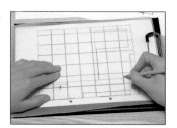

2 Si vous disposez d'une planche à dessin, utilisez plusieurs couches de papier calque pour expérimenter toutes vos nouvelles idées. Si votre jardin est petit, une planche munie d'un clip s'avère suffisante pour maintenir en place le papier calque.

3 Si vous souhaitez travailler avec différentes couleurs, vous pouvez utiliser des crayons faciles à gommer.

4 Découpez dans du papier les éléments que vous voulez inclure dans le dessin final, tels que mobilier de terrasse, massifs ou bassin surélevés, et déplacez-les jusqu'à ce qu'ils vous semblent à la bonne place. Utilisez ce procédé uniquement après avoir retenu un plan définitif. Votre jardin manquerait certainement de cohérence, si vous vous basiez sur ces éléments pour le concevoir.

CONCEPTION DU PLAN

La première étape dans la conception ou l'amélioration d'un jardin est souvent la plus difficile. Puis dès que vous commencerez à dessiner, les idées afflueront au fur et à mesure, notamment si vous avez en tête certains jardins que vous aimez. Vous pouvez tout à fait vous en inspirer, sans toutefois essayer de reproduire un autre jardin qui ne serait sûrement adapté ni à la taille ni au style du vôtre ; mais considérez-le comme une référence qui vous permettra de développer de nouvelles idées.

Si vous optez pour un jardin avec des lignes fortes plutôt que des contours souples, déterminez d'emblée quels types de formes vous souhaitez : rectangulaires, diagonales ou circulaires. Quel que soit votre choix, toutes peuvent s'adapter à votre jardin. Si vous retenez des motifs circulaires, vous pouvez faire se recouvrir les cercles ; veillez dans ce cas à créer des courbes douces là où les cercles se rencontrent. Une fois le style retenu, dessinez une grille et placez-la au-dessus du plan afin de faciliter le dessin (voir page de droite). Dans un petit jardin clos, vous pouvez baser votre grille rectangulaire ou diagonale sur l'espacement des poteaux de clôture (habituellement 1,80 m).

Dans l'exemple suivant, c'est la grille rectangulaire qui a été retenue, mais vous pouvez vous entraîner avec d'autres grilles. Une grille diagonale est souvent plus efficace quand de vastes espaces sont disponibles sur les côtés de la maison. La terrasse peut, par exemple, être disposée à 45° par rapport à un angle de la maison.

Les dimensions et la forme du jardin déterminent le plus souvent le choix de la grille, mais n'hésitez pas à en essayer d'autres et voyez laquelle est la plus adaptée.

Considérez les grilles comme une aide possible à votre projet, mais si une idée précise de style vous tient à cœur, exploitez-la. De nombreux jardins superbes n'ont pas été conçus sur ce principe, et ont progressivement évolué au fil du temps.

À LA RECHERCHE D'IDÉES

Ne vous désespérez pas si vous manquez d'inspiration ou si les premières tentatives vous semblent décevantes. En appliquant les conseils suivants, vous obtiendrez de façon certaine des plans réalisables, qui vous satisferont :

• Consultez des livres ou des magazines afin de choisir un style particulier : il peut être formel ou naturel ; privilégier les plantes ou les structures de paysagisme ; opter pour davantage de feuillage, de textures, de couvre-sols ou prévoir une multitude de fleurs colorées, et des massifs aux contours droits ou aux courbes souples et naturelles.

• Étudiez un grand nombre de [...] pour trouver et retenir des [...] Ne vous laissez pas influencer par une plante spécifique, vous pourrez être amené à la changer.

• Dessinez une grille, si elle peut vous être utile, et placez-la par-dessus votre plan. Elle vous facilitera la tâche.

• Dessinez de nombreux croquis, sans chercher à ce stade à obtenir un projet abouti. Jetez le plus d'idées possible sur le papier.

• Ne vous préoccupez pas encore des plantations, mais définissez les lignes et les motifs.

• Ne perdez pas de temps à dessiner le motif des pavages et ne pensez pas au choix des matériaux.

• Dressez une liste des points principaux que vous préférez. Puis oubliez-les pendant une journée. Il est important de prendre un peu de recul.

• Si l'une de vos premières esquisses vous plaît toujours, commencez à la compléter avec des détails : pavages, gravier, positions des éléments essentiels. Ne vous préoccupez toujours pas à ce stade des plantations.

• Si, après un deuxième examen, aucun de vos premiers croquis ne vous séduit, recommencez. De nouvelles idées se superposeront sûrement aux premières.

• Si vous trouvez difficile de visualiser les dimensions, utilisez des piquets et de la ficelle pour délimiter les massifs au sol, et modifiez le plan si besoin est.

LE PLAN :
PREMIERS PAS

1 Dessinez toutes les structures que vous conserverez – ici par exemple, la tonnelle – et le type de grille retenu, sauf si vous souhaitez un style très naturel où son emploi ne se justifie pas. Afin d'obtenir un plan clair et éviter toute confusion, utilisez une couleur différente pour les lignes de la grille.

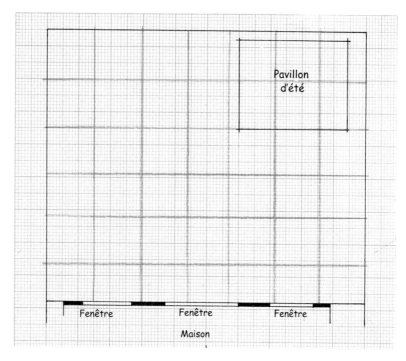

2 Superposez des couches de papier calque ou des photocopies pour essayer un grand nombre de plans. Même si vous êtes satisfait de votre premier essai, dessinez plusieurs variantes. Vous pouvez toujours revenir à votre première idée si elle vous semble la meilleure.

À ce stade de la conception du jardin, n'intégrez aucun autre détail (mobilier, plantes) que les éléments majeurs (arbres, grands arbustes). Quand vous avez obtenu un plan qui vous plaît, dessinez au crayon certains éléments comme le mobilier de terrasse, en utilisant du papier découpé.

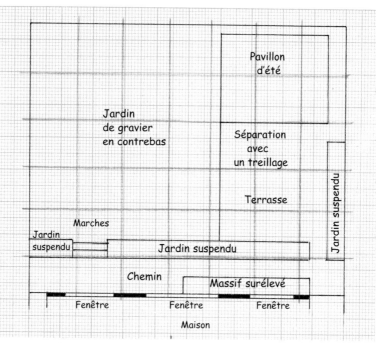

LES FORMES DE BASE

Après avoir choisi le style
de jardin qui vous séduit le
plus et les structures que
vous souhaitez intégrer, il est
temps de passer maintenant
de la théorie à la pratique.

PREMIÈRES IDÉES

Il se peut que la taille, la forme
ou la situation de votre jardin
ne soient pas appropriées
au style que vous avez choisi.
Pour contourner cet obstacle,
gardez néanmoins ce style
présent à l'esprit sans tenter
de le recréer fidèlement.

Dans le cas où vous ne pouvez
pas réaliser intégralement un
jardin japonais, il vous suffira
d'introduire un seul élément
pour l'évoquer.

Si vous analysez comment
sont conçus les plus beaux jardins
formels, vous constaterez que
presque tous ont comme point
de départ une des trois options
décrites ci-dessous. Vous apporterez
votre touche personnelle par
des plantations judicieuses et
des variations originales.

❧ CI-CONTRE

THÈMES CIRCULAIRES Ils sont très
utiles pour masquer la forme rectangulaire d'un jardin. Vous pouvez opter pour
des pelouses, des terrasses ou des massifs
circulaires que vous ferez se chevaucher
ou s'imbriquer pour créer un jardin raffiné. Des plantes garniront les espaces
situés hors des cercles.

À l'aide d'un compas, essayez différents arrangements pour obtenir une
composition esthétique. N'hésitez pas à
modifier les rayons et à superposer les
cercles si nécessaire.

❧ PAGE DE DROITE, À GAUCHE

UTILISER LES DIAGONALES
Cette méthode
crée une
impression
d'espace en
conduisant le
regard à travers
le jardin.
Dessinez d'abord
une grille à 45°
par rapport
à la maison ou
à la clôture
principale. Puis
utilisez cette
grille pour
positionner
les différents
éléments.

❧ PAGE DE DROITE, À DROITE

LES RECTANGLES
Ce sont les
formes le plus
souvent retenues,
parfois même
inconsciemment.
C'est un principe
efficace pour
un aspect plutôt
formel ou pour
diviser un jardin
long et étroit
en sections plus
intimes.

STYLES FORMEL ET NATUREL

Certains jardiniers aiment les lignes droites, un environnement ordonné et bien tenu, tandis que d'autres préfèrent un style naturel et rustique où les plantes semblent pousser naturellement. Ce dernier type de jardin est plus adapté à une vie de famille, car la pelouse fournit un lieu de détente pour les adultes et une aire de jeux pour les enfants.

Il faut, dès le début, déterminer si les options décrites précédemment conviennent ou non à votre style de vie et votre style de jardinage – un jardin de facture plus décontractée sera mieux adapté à une famille avec de jeunes enfants. Les personnes plus intéressées par les fleurs et le feuillage que par divers aménagements et constructions se plairont parmi les massifs généreux, les allées cachées, les bancs nichés sous une tonnelle ou à observer la vie dans un bassin.

Ceux qui préfèrent la décontraction d'un jardin de curé, parfois composé uniquement de massifs de part et d'autre d'un chemin ou d'une pelouse, trouveront un jardin structuré peu attrayant. Le charme d'un jardin de curé réside dans la disposition des plantes, souvent peu planifiée, avec des semis spontanés au milieu d'autres plantations, ainsi qu'entre les dalles.

Si c'est le type de jardin qui vous plaît, suivez vos envies, mais n'oubliez pas que d'autres éléments et courbes fluides sont importants. Tonnelles, pergolas, objets d'ornement, bancs de jardin bien situés et un bon sens des plantations sont tout aussi appropriés dans ce style de jardin que dans un autre plus structuré.

❦ CI-CONTRE ET PAGE DE DROITE

Ces dessins montrent à quel point deux jardins de mêmes dimensions peuvent être différents, selon le style choisi. La décision de donner un côté plus ou moins formel se prend au début du projet.

LÉGENDES DU PLAN

1 Objet d'ornement
2 Jardin aromatique
3 Abri de jardin
4 Treillages
5 Grimpantes contre le treillage (lierre, vigne vierge, clématite)
6 Cadran solaire ou bassin à oiseaux
7 Massifs
8 Arbustes (ou buis taillés) dans de grands pots
9 Banc de jardin
10 Bassin avec une fontaine
11 Arche
12 Groupe de grands arbustes
13 Mur écran
14 Mobilier de terrasse
15 Potager
16 Arche en treillis
17 Chemin
18 Maison

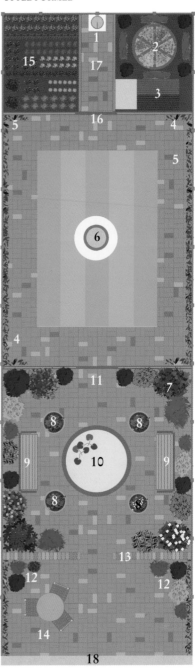

STYLE NATUREL

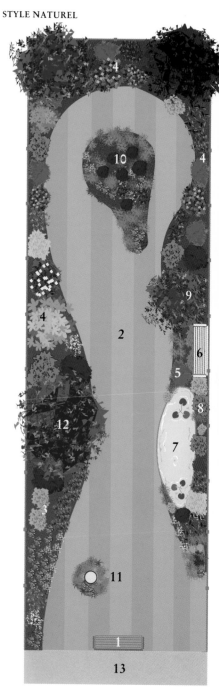

Dans ce jardin, les plantations ont un aspect naturel alors que le dessin symétrique est formel.

LÉGENDES DU PLAN

1 Banc de jardin
2 Pelouse
3 Herbacées et bulbes
4 Arbustes
5 Thym et autres plantes aromatiques entre les pavés irréguliers
6 Banc en métal blanc
7 Bassin
8 Jardin humide
9 Cornouillers à tiges rouges
10 Conifères nains et bruyères
11 Bassin à oiseaux ou cadran solaire, entouré de plantes à la base
12 Arbre
13 Maison

FORMES INHABITUELLES

Vous pouvez tirer parti des contours problématiques de votre terrain pour créer un jardin différent. Grâce à son originalité, ce qui auparavant était une zone difficile à planter provoquera bientôt l'admiration des autres jardiniers. Les sept dessins proposés ici illustrent des cas peu faciles, qui avec de l'imagination et un plan soigné, se transforment en jardins pleins de promesses.

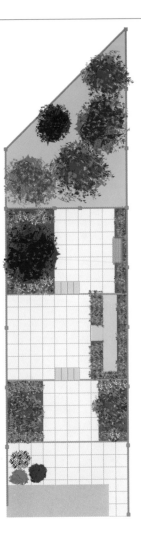

❧ CI-DESSUS, À GAUCHE ET AU CENTRE

LONG ET ÉTROIT Le plan à gauche présente un dessin basé sur le thème des cercles. La zone pavée près de la maison peut servir de terrasse, et l'autre à l'extrémité peut dissimuler un endroit pour étendre le linge, invisible depuis la maison. Si dans un autre cas, c'est le fond du jardin qui est le mieux exposé, inversez les rôles des parties pavées. Le fait de donner un angle au chemin transversal reliant les deux cercles, et de planter de petits arbres ou de grands arbustes qui arrêtent le regard, suscite l'impression d'un jardin à explorer. Le plan à droite montre l'emploi de diagonales pour atteindre un effet semblable.

❧ CI-DESSUS

LONG ET EN POINTE Si le jardin est long et se termine en pointe, essayez de cloisonner la partie principale, tout en laissant un passage ou une arche afin d'inviter à la découverte sans révéler la forme exacte. Vous pouvez aménager cette pointe en potager ou, comme ici, en verger.

Ajoutez un intérêt supplémentaire en étageant les trois zones dallées ; le jardin paraîtra ainsi moins long. Par contre, une longue perspective agrandit le jardin.

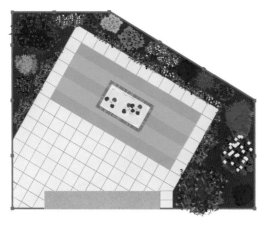

❦ CI-DESSUS
JARDIN SITUÉ DANS UN ANGLE Dans un lotissement, les jardins situés dans un angle sont souvent plus grands que les terrains voisins et offrent des possibilités intéressantes. Ce dessin a été réalisé pour tirer le meilleur parti de l'espace disponible sur le côté de la maison, en en faisant ainsi un élément majeur du jardin plutôt que l'habituel coin sans intérêt.

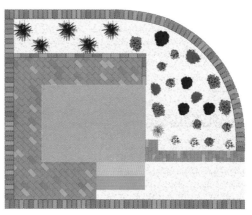

❦ CI-DESSUS
JARDIN SITUÉ DANS UN ANGLE ARRONDI Les terrains de cette forme sont plus difficiles à exploiter. Sur ce plan, la maison est entourée à gauche d'une terrasse, séparée du reste du jardin par un muret qui la rend plus intime. Pour plus d'agrément, une allée sépare le jardin de gravier et l'accès au garage. Rochers, gravier et plantes architecturales, tels phormiums et yuccas, s'harmonisent avec la courbe audacieuse créée par le coin du terrain.

❦ CI-DESSUS
CARRÉ ET RAMASSÉ Un petit espace carré tel que celui-ci laisse peu d'initiative pour des dessins élaborés, il ne faut donc pas le surcharger. Pour donner plus de profondeur, le point de vue est placé sur la diagonale au fond du jardin. Le sol de la terrasse est légèrement surélevé et ce changement de niveau crée un intérêt supplémentaire. Une pelouse peut être difficile à entretenir dans un jardin minuscule, mais vous pouvez la remplacer par une espèce qui exige une tonte moins fréquente.

L'emploi de la diagonale contrebalance la forme rectangulaire de base et permet d'utiliser au mieux l'espace disponible.

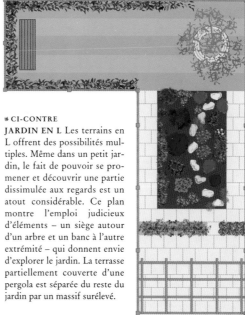

❦ CI-CONTRE
JARDIN EN L Les terrains en L offrent des possibilités multiples. Même dans un petit jardin, le fait de pouvoir se promener et découvrir une partie dissimulée aux regards est un atout considérable. Ce plan montre l'emploi judicieux d'éléments – un siège autour d'un arbre et un banc à l'autre extrémité – qui donnent envie d'explorer le jardin. La terrasse partiellement couverte d'une pergola est séparée du reste du jardin par un massif surélevé.

S'ADAPTER AUX PENTES

Les jardins en pente sont beaucoup plus difficiles à dessiner sur papier que les jardins plats, mais l'enjeu est plus stimulant. Tout dépend bien sûr du degré de la pente, de ses dimensions et de son aspect, et si elle est montante ou descendante à partir de la maison ; il est, dans de tels cas, moins facile de s'inspirer de plans dessinés par d'autres. Mais certains inconvénients peuvent se transformer en avantages. Les changements de niveaux sont intéressants et conviennent parfaitement aux rocailles et aux ruisseaux avec cascades.

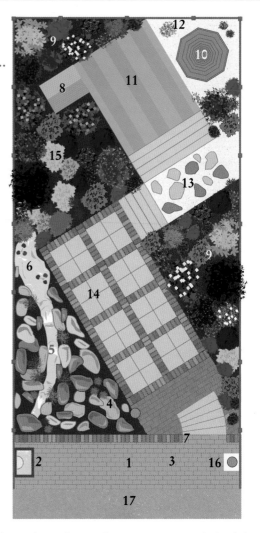

LÉGENDES DU PLAN

1 Terrasse
2 Fontaine murale sur petit bassin
3 Briques ou dallage
4 Rocaille qui suit la pente descendante vers une zone pavée plate
5 Ruisseau avec cascades
6 Bassin qui disparaît dans les arbustes
7 Muret de rétention
8 Abri de jardin
9 Arbustes

10 Tonnelle avec perspective sur le jardin et jolie vue en contrebas
11 Pelouse
12 Gravier planté d'alpines
13 Zone gravillonnée et pavage naturel
14 Dallage encadré de briques
15 Arbres et arbustes
16 Ornement sur socle
17 Maison

❀ CI-DESSUS, À DROITE

PENTE DESCENDANTE Une pente descendante, avec une jolie vue, est plus facile à aménager qu'une pente montante. Il est cependant conseillé de dissimuler une perspective disgracieuse derrière des plantations d'arbres et d'arbustes dans la partie la plus basse du jardin, qui pourra ainsi servir de coin repos.

Ce plan révèle plusieurs principes importants à respecter lors de la conception d'un jardin en pente et intègre des terrasses de façon inhabituelle à la déclivité naturelle. Les travaux de terrassement sont longs et coûteux : il faut creuser la terre et construire des murs de rétention sur des fondations solides. Évitez de déplacer la couche arable d'une partie supérieure de la pente vers une plus basse, car cette zone se retrouverait avec un sol difficile à cultiver. Il faut toujours mettre de côté cette couche arable, creuser et niveler les couches inférieures, puis remettre en place la terre prélevée en premier lieu ; cela représente évidemment beaucoup de travail.

Les terrasses ainsi réalisées sont des zones plates où l'on peut marcher, se relaxer, et ce plan en contient plusieurs sur toute la longueur du jardin. Le problème de la couche arable ne se pose plus puisque les surfaces sont pavées. Le maintien de la pente naturelle sur une grande partie du terrain réduit les travaux importants.

Bien qu'il y ait quelques murs de rétention, les deux murs qui descendent en zigzag sont des escaliers, qui se trouvent tout juste au-dessus du niveau du sol.

En conservant une grande partie de la pente naturelle, vous pouvez également créer une rocaille et un ruisseau artificiel avec une suite de cascades.

Une allée doit serpenter le long d'une pente plutôt que descendre en ligne droite, ce qui ne ferait qu'accentuer la différence de niveau.

❧ **CI-CONTRE**
Si la pente
est abrupte
immédiatement
après la maison,
une terrasse
surélevée fournit
une surface
plate et permet
d'éviter les
marches dès
la sortie de
la maison.

❧ **CI-CONTRE**
PENTE MONTANTE Une pente montante est un défi : les perspectives ouvertes sont limitées et les parties supérieures peuvent aboutir sur des talus. Dans ce cas, des terrasses sur plusieurs niveaux auraient un effet oppressant, mais un jardin « secret », parcouru de sentiers sinueux, flanqués d'arbustes, serait un compromis intéressant. Si quelques murs de rétention sont nécessaires, il est toujours possible de les dissimuler par des plantations judicieuses.

Il est préférable d'éviter le gazon sur ces pentes, difficiles d'accès avec les engins d'entretien, mais si vous souhaitez de la verdure, le thym est un bon substitut : il ne réclame qu'une taille occasionnelle aux ciseaux.

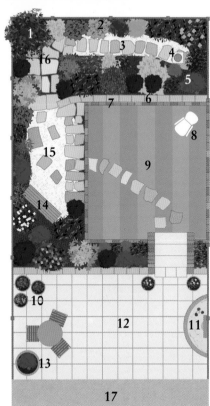

LÉGENDES DU PLAN

1	Arbre de petite taille	11	Fontaine murale
2	Arbustes		sur un petit bassin
3	Dallage en pierre	12	Terrasse
	naturelle sur gravier	13	Arbuste ou petit
4	Ornement sur socle		arbre en conteneur
5	Arbustes nains	14	Siège
	sur le talus	15	Pavage en pierre
6	Mur de rétention		naturelle dans
7	Bordure pavée		du gravier
8	Chaise longue	16	Chemin en pierre
9	Pelouse de thym		naturelle
10	Plantes en pots	17	Maison

LES JARDINS DE FAÇADES

Ces jardins sont assez problématiques, surtout quand il faut y prévoir un passage pour la voiture. C'est sans doute pour cela qu'ils sont souvent ternes, alors qu'ils sont le premier lieu que découvrent les visiteurs. Il convient donc de les rendre plus accueillants. Même les jardiniers passionnés, propriétaires d'un joli jardin derrière leur maison, semblent se désintéresser de ce coin triste. Ces deux petits jardins, aux problèmes typiques, ont été agréablement transformés, grâce à un peu d'imagination et des plantations bien pensées.

COMME UN JARDIN DE CURÉ

Il était difficile de trouver un jardin plus banal : une allée en ciment, une plate-bande étroite sur la terrasse pavée en face de la fenêtre, une autre plate-bande en bordure du jardin, un cerisier à fleurs au milieu d'une pelouse rectangulaire. La solution cependant pour ce jardin est simple, comme le montre l'illustration du jardin redessiné (ci-dessous, à droite). Ce style de jardin de curé comprend toutes sortes de plantes qui poussent et se mélangent généreusement, ne nécessitant que peu d'entretien.

Le chemin dallé qui mène à la porte d'entrée invite à la découverte du jardin et de ses plantes. Le visiteur marche au milieu des plantations qui s'étalent sur les dalles. Le plan du jardin a été inversé : les plantes forment le cœur du jardin, elles ne sont plus reléguées sur les bords. N'hésitez pas à supprimer une pelouse – vous pouvez bénéficier de feuillages et de couleurs toute l'année en choisissant des arbustes persistants et des fleurs en fonction de la saison.

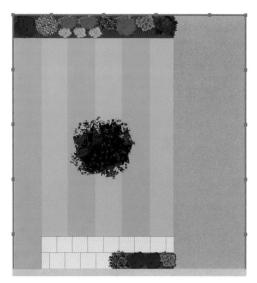

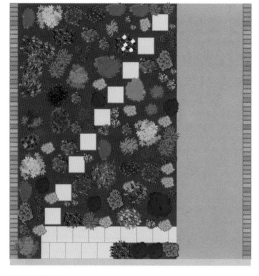

PROBLÈMES

❦ Bien que le cerisier ait une floraison spectaculaire et un feuillage coloré à l'automne, il n'est intéressant que quelques semaines par an. Son emplacement central excluant toute transformation importante, il est préférable de le supprimer.
❦ La clôture en bois accentue le côté terne de l'ensemble.
❦ Les plates-bandes, trop petites, n'attirent pas l'attention et ne permettent pas la plantation d'arbustes et de vivaces.

SOLUTIONS

❧ La pelouse et l'arbre ont été supprimés et remplacés par un mélange d'arbustes nains, de vivaces herbacées, d'annuelles rustiques et de nombreux bulbes à floraison printanière.
❧ Les dalles au milieu créent un raccourci vers la porte d'entrée (et rendent le désherbage plus facile).
❧ La clôture a été remplacée par des murets qui donnent au jardin une atmosphère moins confinée.

SURPRENANTE INTIMITÉ

L'agencement actuel de ce jardin situé dans un coin n'a pas vraiment été pensé, car formes et angles variés s'y heurtent. Le nouveau plan a retenu l'ancien chemin en courbe, à cause de sa base massive en béton et parce qu'il aurait été compliqué de changer l'emplacement de la plaque d'égout. Toutes les autres lignes ont été simplifiées, et les plantes choisies sont mieux adaptées.

Le ruisseau en courbe sur la droite dynamise le jardin et procure un doux murmure.

PROBLÈMES

❧ La plate-bande à gauche était une rocaille peu esthétique, comme dans la plupart des petits jardins où elles manquent de relief et d'espace.

❧ Le cerisier aurait pris des proportions trop grandes, plaçant l'ensemble du jardin complètement à l'ombre.

❧ Ces plates-bandes de petite taille, garnies d'annuelles en été, sont tristes en hiver. La longue ligne droite du sentier est sans grâce.

SOLUTIONS

☙ La rocaille a été pavée, et de ce fait, l'accès au garage ne divise plus la surface plantée.

☙ Le gravier qui a remplacé le gazon, réduit l'entretien au minimum et met bien les plantes en valeur.

☙ Des conifères nains et de taille moyenne apportent une note verticale et de ce fait une certaine intimité. Vous pouvez rendre cette partie du jardin intéressante tout au long de l'année en choisissant des espèces aux ports variés dans différents tons de vert ou de doré.

☙ Grâce au pas japonais, serpentant parmi les conifères, le visiteur ne découvre le jardin qu'au fur et à mesure de sa progression.

☙ L'ancien chemin a été conservé, mais recouvert d'un pavage irrégulier, plus harmonieux.

☙ Un plan d'eau attire toujours la vie sauvage dans un jardin.

☙ Un ruisseau d'eau courante longe l'allée et termine sa course dans le bassin par une cascade.

❧ CI-CONTRE

Ce petit jardin aurait pu se composer d'une pelouse bordée de plates-bandes, mais ses plantations naturelles, comme celles d'un jardin de curé, présentent un intérêt tout au long de l'année.

SAVOIR CRÉER DES ILLUSIONS

Il est parfois tentant de faire croire que son jardin est plus grand que la réalité. Les quelques exemples de trompe-l'œil présentés ici devraient vous permettre de le faire.
En appliquant certains « trucs » simples, vous résoudrez des problèmes complexes, tels que savoir détourner le regard d'éléments inesthétiques en attirant l'attention sur un centre d'intérêt particulier.

❦ CI-CONTRE
On a l'impression ici de se trouver dans un grand jardin qui se prolonge au-delà de l'arche. Tout n'est qu'illusion, puisqu'il s'agit d'un miroir.

❦ CI-DESSUS, À GAUCHE ET À DROITE
Un petit jardin ressemble très vite à une boîte si ses limites (clôture ou mur) sont visibles, car elles écrasent l'ensemble. Le fait d'ajouter un massif d'arbustes tout le long de ces limites les rend encore plus évidentes. Faire empiéter plus largement les massifs sur la pelouse, dont une partie s'estompe derrière les plantations masque les délimitations et laisse supposer que le jardin continue.

⚘ CI-DESSUS, À GAUCHE ET À DROITE

Il est souvent difficile d'éviter une allée rectiligne ; de plus, un élément dominant placé en son extrémité raccourcit la distance. Pour donner plus de profondeur à votre terrain, faites en sorte que le sentier soit légèrement sinueux et qu'il aille en se rétrécissant. Un élément décoratif de hauteur plus réduite accentuera cet effet et renforcera l'impression de perspective.

⚘ CI-DESSUS, À GAUCHE ET À DROITE

Un long chemin rectiligne attire le regard vers les limites du jardin, sauf si celui-ci est très grand. Essayez d'intégrer un élément qui arrêtera le regard à un certain niveau du chemin. Une courbe autour d'un élément de décoration, un grand arbuste ou un petit arbre maintiendront l'attention à l'intérieur du jardin. Si vous ne souhaitez pas modifier le trajet du chemin, essayez de construire une arche qui l'enjambe, et plantez au pied une jolie grimpante pour adoucir les lignes, et prolongez éventuellement cette structure par des treillages de chaque côté.

Préparer le plan des plantations

Les divers éléments de construction décrits jusqu'à présent servent de structure au jardin, mais c'est en dernier lieu, avec les plantes, qu'il prend forme et que se dessine sa personnalité.

Si la structure est importante, le plan des plantations n'est pas pour autant secondaire, plus encore si vous souhaitez que votre jardin conserve un attrait tout au long de l'année.

DÉTERMINER LES CONTOURS

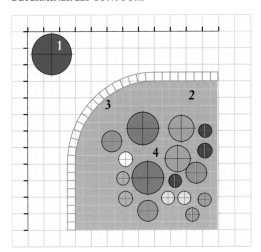

INTÉGRER LES PLANTES

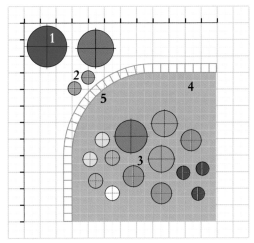

Commencez par marquer les contours de la zone à planter, en notant les distances sur le papier millimétré pour faciliter le positionnement. Certains catalogues ou certains livres contiennent de nombreuses photographies et donnent des informations précieuses telles que la hauteur et l'étalement des plantes. Sachez cependant que ce sont des données variables en fonction du lieu géographique, du climat, du sol et de la saison.

Si vous avez une bonne connaissance des plantes, vous pouvez dessiner directement sur le plan du massif, mais au lieu d'utiliser gomme et crayon, il est plus aisé de déplacer des morceaux de papier découpés à la forme des plantes que vous voulez incorporer. Notez la hauteur, l'étalement et la période de floraison et inscrivez le nom au revers. Vous pouvez les colorier en employant par exemple des rayures pour les plantes panachées et du vert pour les persistantes. Cela vous donnera un aperçu général.

Positionnez sur le plan les symboles en commençant par les grandes plantes ou les plantes principales. Il se peut que vous ayez à les ajuster au fur et à mesure, mais assurez-vous que les plantes-clés sont bien placées et qu'elles domineront les massifs. Pensez aux périodes de floraison, et répartissez équitablement les plantes persistantes : si elles sont toutes regroupées, certains espaces seront complètement dénudés en hiver.

LÉGENDES DU PLAN

1 Cerisier existant (*Prunus* 'Amanogawa')
2 Pelouse
3 Bande pour la tonte
4 Symboles prédécoupés à placer dans le massif

LÉGENDES DU PLAN

1 Cerisier existant (*Prunus* 'Amanogawa')
2 Plantes en place
3 Plantes à positionner
4 Pelouse
5 Bande pour la tonte

DISPOSER LES PLANTES

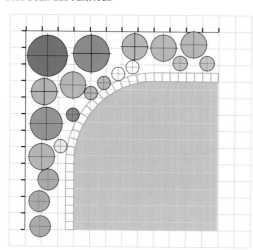

TOUCHE FINALE

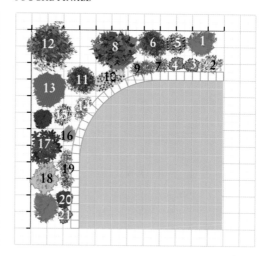

Après avoir positionné les plantes-clés, les plus hautes placées à l'arrière du massif, ajoutez les plantes de taille moyenne en les intercalant entre les plus grandes, afin d'éviter un effet d'escalier inélégant. Finissez avec les plantes basses : l'effet est d'autant plus important qu'elles sont regroupées en masse. On ne remarque pas une petite plante solitaire, et elle finit par disparaître, étouffée par ses vigoureux voisins.

Les premiers plans sont assez dépouillés car ils vous permettent d'explorer agencements et associations variés. Pour mieux visualiser l'effet final, dessinez plus en détail le dernier plan de plantations.

LÉGENDES DU PLAN FINAL

1 *Perovskia atriplicifolia* 1 m
2 Bergenia (persistant) 30 cm
3 *Diascia barbarae* 30 cm
4 *Houttuynia cordata* 'Chameleon' 30 cm
5 Kniphofia 1,20 m
6 Romarin (persistant) 1,20 m
7 *Artemisia* 'Powis Castle' 1 m
8 *Choisya ternata* (persistant) 1,20 m

9 Aster nain 60 cm
10 Ciste 45 cm
11 *Cornus alba* 'Sibirica' 1,20 m
12 *Prunus* 'Amanogawa' cerisier existant 10 m
13 *Camellia* 'Donation' (persistant) 2 m
14 Agapanthe 75 cm
15 Hosta 45 cm
16 Bergenia (persistant) 30 cm

17 *Anemona* × *hybrida* 75 cm
18 *Potentilla* 'Princess' 75 cm
19 Lavande (persistant) 30 cm
20 *Stachys byzantina* (pratiquement persistant) 30 cm
21 *Mahonia* 'Charity' (persistant) 2,50 m

DES JARDINS D'ENTRETIEN FACILE

Les jardins d'entretien facile peuvent être aussi esthétiques et stylés que ceux réclamant une attention régulière.

Ce type de jardinage convient parfaitement aux personnes trop occupées ou peu enclines à consacrer du temps à la tonte, l'arrosage ou aux corvées comme le désherbage ou la taille des fleurs fanées, mais désireuses tout de même d'avoir un superbe jardin. Des personnes handicapées ou âgées seront également séduites par ce concept.

Un jardin qui nécessite peu d'entretien vous laisse la possibilité de partir sans crainte une semaine ou plus ; dans ce type de jardin vous vous relaxerez beaucoup plus souvent que vous n'y travaillerez.

❧ CI-DESSUS
Le pavage exige peu d'entretien, mais seules
des plantations nombreuses adoucissent l'effet général.

❧ PAGE DE GAUCHE
Ce jardin très structuré utilise à bon escient lignes et formes, masses et vides.
Quelques plantes persistantes créent un superbe effet pour un minimum d'effort.

QUELQUES IDÉES

Les jardins réclamant peu d'entretien, souvent créés avec un nombre restreint d'espèces spectaculaires, peuvent aussi être entièrement remplis de plantes. La sélection de celles-ci et leur quantité déterminent le temps passé à leur prodiguer des soins.

❦ CI-DESSUS

Les jardins majoritairement composés de gravier et de pierres sont peu exigeants, surtout si vous utilisez des plantes qui tolèrent la sécheresse, telles que la lavande. Dans ce jardin, quelques plantes suffisent à obtenir un bel effet, et l'entretien se limite à une taille qui contrôle leur croissance. Ce jardin fut créé par Hilliers pour le Hampton Flower Show en Angleterre, et les volutes de gravier de différentes couleurs ajoutent un attrait certain ; dans un jardin privé, régulièrement fréquenté, il est sans doute préférable d'utiliser un seul type de gravier.

Les mauvaises herbes ne posent pas de problèmes si la couche est assez épaisse, mais une feuille plastique posée préalablement sur le sol empêchera de façon sûre le développement de celles aux racines profondes. Si besoin est, il est possible de planter à travers le plastique, en l'entaillant avec un couteau à l'endroit choisi.

❧ CI-DESSUS

De grandes plantations audacieuses – lin de Nouvelle-Zélande *(Phormium tenax)*, bambou *(Arundinaria)*, et même un mélèze *(Larix)* dans un endroit restreint peuvent être très spectaculaires. En dehors du pavage et de la jardinière en briques surélevée, ce jardin ne contient guère que quelques grands pots au milieu de galets et de grosses pierres. La couleur utilisée parcimonieusement, avec les tabacs rouges au fond, n'en ressort que davantage sur le fond vert.

La clôture de bambous laisse pénétrer la lumière pour la bonne croissance des plantes et assure suffisamment d'intimité.

❧ CI-CONTRE

Il n'est pas besoin d'un grand espace pour faire impression. Une petite surface, entourée de murs, peut être étonnante si le plan est audacieux. Ici, le nombre limité d'espèces est compensé par la diversité des matériaux au sol. Les lignes droites du plancher contrastent efficacement avec les formes organiques du gravier et des pierres. Seules des plantes non rustiques ont été retenues dans ce jardin sec et très ensoleillé. La plupart d'entre elles, comme les echeverias dans le massif bleu au premier plan, doivent être rentrées l'hiver dans les régions où il gèle.

L'usage de la couleur sur les murs et le bord des massifs, associé au ton chaud du gravier, crée une plaisante harmonie de textures, de teintes et de formes, même en l'absence de plantes.

QUELQUES IDÉES

Qu'ils soient de style formel ou naturel, minimalistes ou riches en structures paysagées, ces jardins exigent un plan rigoureux.

❧ CI-DESSOUS

Les cours et les jardins clos peuvent être chaleureux et intimes, surtout s'ils sont entourés de grands murs. En maintenant le centre dégagé, on obtient une impression d'espace, mais s'il est dépourvu d'une structure forte et de formes puissantes, un jardin n'aura pas l'air «dessiné».

Un point de mire contribue à procurer cet effet : ici, la rangée de fontaines «têtes de lions» attire l'attention. Toutefois, un tel espace, sans plantes, peut paraître rigide : il faut donc une sélection habile. Les arbres et les arbustes en pots soulignent le style formel, mais contribuent à l'adoucir. N'oubliez pas, pendant l'été, d'arroser quotidiennement les plantes en conteneurs : pensez, le cas échéant, à installer un système d'arrosage automatique.

PAGE DE GAUCHE

Ces plantes tolèrent la sécheresse et n'exigent pas d'arrosages réguliers. Le gravier, d'une part les met bien en valeur, et d'autre part empêche les mauvaises herbes de pousser.

Les dimorphotecas se cultivent facilement et sont très florifères. Il faut rentrer à l'abri du gel les plantes grasses comme les echeverias et *Agave americana* 'Variegata'.

CI-CONTRE

Ce tracé démontre l'excellente utilisation des lignes et des formes, des masses et des vides. Il fut créé pour le Chelsea Flower Show de Londres. Des dalles de granit ont été insérées dans le gravier, mais un autre type de dallage aurait été moins coûteux. Des tuiles posées sur la tranche composent un motif original. Une plantation très serrée et en grand nombre de buis, *Buxus sempervirens* 'Suffruticosa', permet d'obtenir rapidement ces blocs taillés. Cette idée peut sembler extravagante car le buis est cher, mais ce sont pratiquement les seules plantes à acheter pour ce style de jardin.

CI-CONTRE
Complètement à l'opposé de la rigidité formelle des jardins de gravier, celui-ci évoque un paysage sauvage. Une conception subtile laisse penser que la disposition naturelle des rochers et la pente sans limites visibles n'ont pas eu à subir les rigueurs du paysagisme. Lavandes, santolines et graminées se répandent entre les rochers, où couleurs et textures contrastent agréablement.

Conseils pratiques
LE SOL DU JARDIN

Même si ce sont les massifs qui attirent l'attention de prime abord dans un jardin, c'est souvent « le sol » – pelouse ou pavage par exemple – qui en occupe la plus grande surface. C'est un élément important, non seulement par le temps d'entretien qu'il réclame, mais aussi sur le plan esthétique.

Vous trouverez de nombreuses idées pour différents revêtements (dallage, plancher, gravier) dans les pages qui suivent, ainsi que des alternatives au gazon. Les plantes couvre-sols sont loin d'être négligeables dans les massifs. Il est primordial de bien comprendre cet aspect du jardin, car c'est celui qui occupera la plus grande partie de votre temps et une part importante de votre budget pour la conception. Essayez également d'évaluer le temps que vous souhaitez consacrer à l'entretien du jardin.

☙ PAGE DE DROITE
LE PLANCHER Plutôt qu'un dallage, pensez dans certains cas à mettre en place un plancher. Un bois adapté et correctement traité a une longue durée de vie ; il est de plus décoratif et pratique.

SUGGESTIONS *Teintez le plancher d'une couleur assortie au reste du jardin, ou qui s'harmonise avec la décoration de la maison. Le choix des couleurs est limité dans les produits traitant le bois, mais les coloris sont plus variés dans les lasures à appliquer sur un bois déjà traité. Selon la taille, l'espacement et la couleur des planches, l'atmosphère du jardin sera différente.*

☙ CI-DESSUS
LE GRAVIER Le gravier empêche les mauvaises herbes de pousser (en cas de mauvaise préparation du terrain ou si la couche n'est pas assez épaisse, un désherbant soigneusement appliqué permet de régler le problème pendant une saison). Une surface importante recouverte uniquement de gravier manque de charme : pour y remédier, ajoutez quelques dalles à différents endroits.

SUGGESTIONS *Des dalles peuvent rehausser le gravier. Plutôt que de créer des motifs réguliers, essayez de les disposer de manière à obtenir un style très naturel.*

LE GRAVIER SOUS TOUTES SES FORMES

Les formes de graviers sont multiples – arrondies ou pointues – dans des tailles variées (il est plus difficile de marcher sur les plus gros, mais les très petits peuvent parfois poser un problème), et dans une gamme de coloris étendue. Si la plupart des graviers sont gris, vous pouvez également en trouver dans des tons de brun, de rouge, de vert et même avec une touche de jaune. Ces couleurs varient selon qu'elles sont à l'ombre ou au soleil, que le temps est sec ou humide. Les graviers très clairs brillent au soleil. Les graviers de couleur sont souvent conditionnés en sacs plastique et vendus en jardinerie ; ils conviennent plutôt à de petites surfaces. Faites-vous livrer des grandes quantités, c'est plus économique. Si vous réussissez à vous procurer des échantillons qui vous plaisent, essayez-les dans un coin du jardin.

CI-DESSOUS

LE GRAVIER Il met très bien en valeur les plantes en pots, et vous pouvez coordonner sa couleur à celle des conteneurs utilisés.

SUGGESTIONS Videz quelques jolis pots, groupez-les ou empilez-les et placez-les à proximité de plantes. Vous obtiendrez un effet surprenant et décoratif qui vous évitera la corvée d'arrosage quotidienne.

ÉVITEZ LA MONOTONIE

De grandes surfaces recouvertes d'un même matériau sont ennuyeuses. N'hésitez pas à mélanger différents types de pavages, comme des briques et du bois, ou des pierres naturelles et des briques, ou bien encore des dalles de béton, entrecoupées de bandes de gravier.

CI-CONTRE

LE PAVAGE Pour une surface aux dimensions raisonnables, préférez la brique ou la terre cuite aux dalles de béton. Vous pouvez varier les motifs selon ce que vous retenez pour la pose – sur cette photo, les briques ont été posées en chevrons. Les tons de la brique et de la terre cuite sont chaleureux et s'accordent bien aux plantes. Assurez-vous auprès du fournisseur que les briques sont adaptées pour l'extérieur – certaines finissent par s'effriter avec la pluie et le gel.

SUGGESTIONS Adoucissez le bord des zones pavées en faisant déborder les plantes – évitez cependant les plantes rampantes trop envahissantes qui risquent de faire trébucher.

Conseils pratiques

REMPLACER AVANTAGEUSEMENT LE GAZON

Certains jardiniers prennent plaisir à tondre le gazon – cela peut être une forme d'exercice physique – mais les plus dynamiques finissent par se lasser du temps passé à cette tâche en été, ou sont consternés par l'état de la pelouse trop haute après une absence prolongée.

Il est possible de paver entièrement un jardin de petite taille, mais cette solution ne plaît pas à tout le monde ; de plus, on a toujours tendance à recouvrir une grande partie de cette zone pavée de pots et de conteneurs divers pour apporter une note colorée – et de nouveau se pose le problème de la corvée d'arrosage. Pour beaucoup d'entre nous, seule une pelouse verte peut apporter verdure et beauté au jardin tout au long de l'année. Si vous désirez vraiment une pelouse, vous pouvez remplacer le gazon par autre chose.

FINITION SOIGNÉE

À l'exception des mousses et des thyms rampants, les substituts du gazon ne réclament qu'une tonte occasionnelle ou une taille à la cisaille. Leur croissance compacte forme une pelouse d'aspect élégant et soigné, pour un travail moindre qu'avec le gazon.

Si elle n'est pas taillée, la camomille a une floraison blanche qui, d'après certains jardiniers, contrarie l'effet recherché. La variété 'Treneague' est souvent utilisée pour les pelouses car elle est moins florifère.

N'oubliez pas de tailler régulièrement les bords pour une finition nette et afin d'éviter que les plantes n'envahissent les massifs voisins.

❧ **CI-DESSUS**
LA MOUSSE Cela peut paraître un choix surprenant à ceux qui achètent régulièrement des désherbants anti-mousses. Mais il existe de nombreuses espèces de mousses, et certaines sont très esthétiques dans un endroit adapté. Dans cette zone ombragée par exemple, un gazon ne se plairait pas, alors que la mousse y prospère.

SUGGESTIONS *Dans les zones ombragées et humides, la mousse remplace bien l'herbe. On la trouve difficilement dans le commerce, ramassez-la plutôt dans la nature.*

❧ **PAGE DE DROITE**
LA CAMOMILLE La camomille (*Chamaemelum nobile* ou *Anthemis nobile*) est un substitut de premier choix au gazon. C'est une jolie plante facile à se procurer, qui dégage un arôme quand on marche dessus. Elle n'exige qu'une tonte occasionnelle. Elle présente toutefois quelques inconvénients : elle n'est pas aussi résistante que l'herbe et il n'est pas possible d'utiliser un désherbant sélectif (ce problème est commun à tous les autres substituts au gazon), ce qui rend le désherbage plus fastidieux.

SUGGESTIONS *N'utilisez la camomille que pour de petites surfaces, elle sera plus facile à entretenir, comme ici autour de ce cadran solaire où elle est peu piétinée. Ne la plantez pas dans une partie du jardin où le passage est important.*

LE TRÈFLE Planter du trèfle n'est pas une idée qui sourit aux jardiniers, car beaucoup s'évertuent à le faire disparaître de leurs gazons. Ceux qui en sont envahis, ont pu toutefois remarquer qu'il reste vert plus longtemps par temps de sécheresse et qu'il forme un tapis épais. Il vous faudra le tondre de temps à autre pour supprimer les fleurs et pour qu'il reste compact et dense.

SUGGESTIONS *Le trèfle convient mieux à une petite surface décorative comme celle illustrée ci-contre. Il crée un tapis d'une apparence luxuriante.*

PRÉPARATION DU SOL

Préparez bien le sol avant la plantation ou le semis de ces substituts au gazon, en vous efforçant d'éradiquer toutes les mauvaises herbes. Comme vous ne pouvez pas utiliser les désherbants sélectifs pour gazon, il vous faudra désherber à la main jusqu'à ce que les plantes soient suffisamment établies et compactes.

LE THYM Le thym est un autre substitut au gazon, très prisé pour de petites surfaces, en partie pour son feuillage aromatique. Il existe de nombreuses espèces de thyms, et les formes buissonnantes, surtout utilisées dans la cuisine, sont à proscrire. *Thymus serpyllum* est un bon choix, car très dense. Ici, il est en fleur et le violet soutenu contraste joliment avec les dalles en granit du chemin.

SUGGESTIONS *Essayez d'utiliser le thym sur de petites surfaces à proximité d'un banc, ou laissez-le se faufiler entre les massifs, si cette partie du jardin n'est pas trop passante. Il est aussi très décoratif planté entre des dalles.*

Conseils pratiques

REMPLACER LES CONTENEURS

Les jardins d'entretien facile présentent souvent de grandes zones pavées ou recouvertes de gravier, et les plantes couvre-sols ou les arbustes sont regroupés dans les massifs. Le jardinier a très souvent envie de disposer de nombreux conteneurs pour compenser le manque de couleurs au fil des saisons. Résistez à cette tentation et envisagez différentes alternatives.

COMMENT PLANTER DANS LE GRAVIER

Si vous plantez dans un massif de gravier déjà établi, il suffit de mettre le sol à nu à l'endroit voulu, puis de procéder à la plantation. Si la couche arable a été enlevée pendant la construction, prélevez une partie du sol pauvre et remplacez-la, avant la plantation, par un sol plus fertile. Si le gravier est étalé sur un film plastique, faites une entaille en croix avec un couteau et repliez chaque rabat suffisamment loin pour pouvoir planter. Arrosez bien avant de replacer le gravier autour de la couronne de la plante.

❧ CI-DESSUS
PLANTATIONS AU MILIEU DU GRAVIER Au lieu de planter en conteneur afin de meubler une grande surface de gravier, plantez directement en pleine terre dans le gravier. Préparez bien le sol dans la zone à planter, pour que les plantes se développent bien, sans arrosages trop fréquents. Sur cette photo, les plantes se passent de soins particuliers, seules celles devenues trop importantes sont rabattues une fois l'an.

SUGGESTIONS *Dans le gravier, plusieurs plantes regroupées attirent plus le regard que des plantes individuelles clairsemées.*

❧ CI-CONTRE
PLANTATIONS À TRAVERS UN PLAN-CHER En aménageant des trous, il est tout aussi facile de planter sous un plancher qu'entre des dalles. Même si les yuccas n'ont pas besoin d'un arrosage régulier, ils apprécieront davantage la profondeur du sol à celle d'un conteneur.

SUGGESTIONS *Si, dès le début du projet, vous souhaitez planter dans le sol, il est plus facile d'incorporer l'emplacement des plantations sur le plan que de soulever les dalles ou de découper le plancher par la suite.*

CI-CONTRE
PLANTATIONS
SUR UNE TERRASSE
Au lieu d'installer
des conteneurs sur
une terrasse, enlevez
plusieurs dalles et
créez un petit massif.
L'entretien sera réduit
et l'ensemble semblera
mieux intégré au
plan du jardin.

SUGGESTIONS
Ne laissez pas la terre
nue sinon les mauvaises
herbes ne tarderont
pas à se développer.
Garnissez-la de gravier
ou de galets, cela ne
sera que plus décoratif.

PLANTATIONS
AU PIED D'UN MUR

Pour des grimpantes
aussi vigoureuses que certaines
roses ou des glycines, des
espaces de plantation aménagés
sur une surface dallée sont plus
adaptés que des conteneurs.
Après avoir ôté quelques dalles,
plantez les grimpantes au pied
du mur ou de la clôture.
Vous pouvez légèrement
rehausser le bord avec des
briques ou des pierres, afin
de mieux mettre en valeur ce
groupe de plantations ; veillez
toutefois à ce que le niveau
de la terre ne soit pas trop
haut pour que l'eau ne déborde
pas vers la maison.

CI-CONTRE
MASSIFS SURÉLEVÉS
Plutôt que plusieurs
pots, voilà une
meilleure façon
d'introduire des
plantations sur une
surface pavée. Ces
massifs offrant plus de
profondeur que les
conteneurs, les plantes
s'y dessèchent moins
vite, même par temps
chaud. De plus, un seul
massif surélevé est
plus spectaculaire que
plusieurs pots réunis.

SUGGESTIONS
Dans un petit endroit,
un massif très peu
surélevé a autant
d'impact qu'un massif
plus haut en un lieu
plus spacieux. Mais
dans ce cas, construisez
un massif sans fond,
pour que les racines
puissent pénétrer
dans le sol.

Conseils pratiques

DÉCORER LE JARDIN

Si vous aimez les pots de terre cuite ou de céramique ou
si vous collectionnez des conteneurs pour leur originalité,
vous pouvez vous abstenir de les garnir de plantes. Utilisez-les
comme éléments décoratifs à part entière. Tous les types
de décoration sont bienvenus dans le jardin, ils contribuent
à lui donner une touche vivante et personnelle.

**CI-CONTRE
LE ROCHER BRUT**
Certains coins
du jardin, plantés
de couvre-sols
comme ici de
bergenia, peuvent
manquer d'attrait.
Un élément de
décoration suffit
à redonner un peu
de hauteur et
d'intérêt ; c'est le
cas ici avec ce bloc
de pierre.

SUGGESTIONS
*Mettez en valeur un
endroit plat ou sans
intérêt par des
éléments décoratifs.*

**CI-CONTRE ET CI-DESSOUS
LE GRAVIER MÉTAMORPHOSÉ** Des surfaces d'entretien facile
comme le gravier, plantées de conifères qui ne réclament pas
d'attention finissent par paraître un peu tristes, comme le
montre la photo à gauche. Essayez d'y placer quelques objets de
décoration – un simple pot peut suffire à transformer le décor.

**PAGE DE GAUCHE
UNE ÉLÉGANTE SOBRIÉTÉ** Si vous avez
succombé au charme d'une superbe
potiche en terre cuite, ne prévoyez pas à
tout prix de la garnir de plantes – pensez
à la corvée d'arrosage. Utilisez de tels
pots pour leur valeur décorative propre,
par exemple en situation ombragée où
beaucoup de plantes ne pousseraient pas.

SUGGESTIONS *Ces pots sont très
grands, mais de plus petits feront tout
autant l'affaire, si leur taille est
proportionnelle à l'environnement.*

Conception et réalisation

DES PAVAGES ESTHÉTIQUES

Un jardin citadin, surtout s'il est clos de murs, a souvent plus d'allure si l'on attache de l'importance aux structures. Des dalles de béton couvrant l'ensemble du jardin paraîtront austères et monotones, alors que des briques aux tons chauds, posées de façon décorative, fourniront un joli décor pour les plantes, de même qu'un revêtement fonctionnel où il fait bon se détendre.

CONCEPTION

Ce jardin de ville illustre comment quelques simples rectangles peuvent se métamorphoser en un superbe jardin plein de charme, grâce à l'introduction de plantes et d'éléments paysagers adaptés. Les briques posées en damier natté apportent une note colorée et chaleureuse à ce jardin qui aurait pu être dénué d'attrait. Un banc intégré au mur tire au mieux parti d'un espace restreint, et le bassin circulaire, plutôt que rectangulaire comme le reste du jardin, laisse plus de place pour le pavage et permet une circulation plus aisée dans le coin détente.

La petite taille des briques, comparée à celle des dalles habituelles, associée à l'espace créé par le bassin circulaire, donnent

RÉALISATION

l'impression d'un jardin plus grand qu'il ne l'est en réalité.

Le bassin peut être transformé en bac à sable si vous avez de jeunes enfants, et redevenir un point d'eau quand les enfants sont plus grands. Le temps passé à arroser les nombreux conteneurs compense celui que vous auriez consacré à tondre la pelouse.

Les arbustes choisis tolèrent la sécheresse, mais ils doivent malgré tout être arrosés régulièrement. Un arrosage automatique est probablement la meilleure solution, sinon il est également possible de transformer l'espace réservé aux conteneurs en massifs plantés d'arbustes.

MOTIFS DE PAVAGE EN BRIQUES

Le motif suivant lequel les briques sont assemblées change l'impression générale. Voici trois motifs assez courants. L'assemblage en quinconce est plus efficace sur de petites surfaces ou des chemins. L'assemblage en chevrons, ou à bâtons rompus, convient pour toutes les surfaces, tandis que celui en damier natté réclame plus d'espace pour être apprécié. Assurez-vous toujours que les briques conviennent pour des dallages – celles utilisées dans la construction des maisons ne sont pas toujours adaptées.

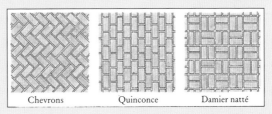

| Chevrons | Quinconce | Damier natté |

Conception et réalisation

ADOPTER UN STYLE

Ce jardin d'entretien facile est constitué de pavés de granit, qui lui donnent un côté architectural, rehaussé au centre par une cordyline *(Cordyline australis)*. Cette plante apporte une note exotique en hiver. Les murs dissimulent habilement le garage.

CONCEPTION

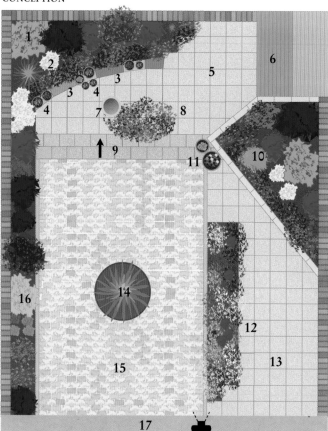

Une grande surface pavée peut parfois paraître oppressante quand elle remplace une pelouse. Dans ce jardin, elle a été divisée en trois parties. Dans l'une d'elles, des pavés de granit apportent un changement de texture et les différences de niveaux rompent l'aspect plat du jardin. Les massifs surélevés à l'extrémité forment un écran efficace devant le garage.

Au printemps et en été, les arbustes d'entretien facile et les plantes couvre-sols assurent un décor permanent, mais des centres d'intérêt sont indispensables pour agrémenter ce jardin à d'autres moments de l'année quand les plantes ont disparu.

Comme c'est un jardin clos, il n'est pas possible d'avoir un joli point de vue vers l'extérieur, il faut donc attirer le regard vers l'intérieur ; une plante architecturale telle que *Cordyline australis* remplit cette fonction et fournit un axe autour duquel s'articule le jardin. Cette plante n'est pas totalement rustique, mais tolère le gel une fois établie. Dans les régions plus froides, vous pouvez la remplacer par un grand *Yucca gloriosa*.

RÉALISATION

PAVAGES ET DALLAGES

Les matériaux disponibles pour paver ou dàller le sol sont plus nombreux qu'on ne l'imagine. On les trouve dans les jardineries, les magasins de bricolage et même dans des catalogues de vente par correspondance. Le coloris et la texture varient d'un type à l'autre, il faut donc prendre le temps d'étudier les catalogues et de visiter les fournisseurs avant de prendre une décision.

Les dalles en béton sont les plus utilisées. Elles sont disponibles dans une multitude de tailles et de formes, à tel point que le choix peut s'avérer difficile. Sachez toutefois que les couleurs vives finissent par passer, il faut donc peut-être s'attacher davantage à la finition et à la texture. Certaines font penser à des briques, d'autres à de la pierre. Les dalles en béton et

en terre cuite sont le plus souvent carrées, mais on les trouve aussi dans d'autres formes. Il suffit généralement de les poser sur un lit de sable et de les compacter. Les pavés s'assemblent de façon précise, alors qu'il faut poser les briques avec des joints de mortier; ces dernières existent dans des

tons chauds et il est facile, dans certaines régions de les assortir à celles de la maison.

Les pavés de pierre, comme ceux de granit utilisés dans le jardin illustré ci-dessus, apportent une texture forte, mais leur surface est parfois inégale. Ils se patinent joliment avec le temps.

❦ DE GAUCHE À DROITE
Première rangée :
pavé de pierre naturelle,
pavé de terre cuite,
brique, pavé de pierre
reconstituée.
Deuxième rangée :
différentes formes
de pavés en béton
disponibles sur le marché.
Dernière rangée :
dalles de béton dans
différents coloris.

Conception et réalisation
Un jardin tout en symétrie

Voici un jardin de ville où il fait bon se relaxer et méditer.
Quand les constructions et les plantations sont terminées,
un jardin de ce type ne réclame qu'un entretien restreint,
pourvu qu'il soit équipé d'un système d'arrosage automatique
pour les arbustes en conteneurs.

CONCEPTION

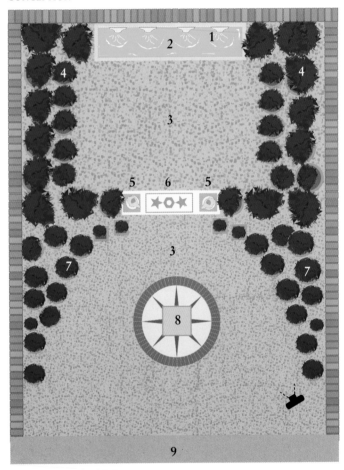

Un style très formel comme
celui-ci repose sur la symétrie et
sur des éléments de décoration
audacieux, comme une fontaine
murale, une mosaïque et des
statues qui s'harmonisent à
l'ensemble. Ce type de jardin plaira
aux amoureux des formes et de
l'ordre. Les plantes également ont
été retenues davantage pour leur
port et leur texture que pour
leur beauté ou leur couleur.

La mosaïque au sol qui relie
les deux parties du jardin ajoute
une note artistique.

Le buis taillé (*Buxus sempervirens*)
accentue le style formel de ce jardin,
très facile à entretenir. Deux ou
trois tailles pendant la saison de
croissance suffisent à maintenir
une forme agréable – avec quelques
tailles supplémentaires, il sera
encore plus élégant, et le tout
prend moins de temps que la tonte
hebdomadaire d'une pelouse.
Le buis supporte assez bien la
sécheresse, mais il prospérera encore
mieux avec un système d'arrosage
automatique, et l'entretien de votre
jardin sera réduit au minimum.

RÉALISATION

1 Creusez la surface concernée sur une profondeur de 5 cm. Pour une couche de gravier plus épaisse, il faut creuser davantage.

2 Afin d'éviter la réapparition des mauvaises herbes aux racines profondes, disposez sur le fond une feuille de plastique, et faites se chevaucher les bords sur 5 cm.

3 Mettez le gravier en place à l'aide d'une brouette, et répartissez-le uniformément avec un râteau sur 5 cm d'épaisseur. Compactez-le en marchant dessus ou à l'aide d'un rouleau. Ratissez de nouveau, si besoin est.

COULEUR ET TAILLE DU GRAVIER

Le gravier est disponible dans de nombreux coloris, en fonction des roches qui servent à sa fabrication. La catégorie, ou taille, change aussi son aspect. Cherchez un gravier qui vous plaise, voyez-le mouillé et sec, car il peut, suivant le cas, paraître très différent.

Conception et réalisation

UN ÉCRIN POUR UN POINT DE MIRE

Dans un jardin sec comme celui-ci, un point d'eau, en l'occurrence une fontaine, accentue l'impression d'aridité tout en apportant une note de fraîcheur. Des éléments structuraux impressionnants comme le cercle dans le mur qui encadre une sculpture, peuvent compenser l'absence de plantes spectaculaires. Celles retenues ici sont d'entretien facile et restent intéressantes tout au long de l'année.

CONCEPTION

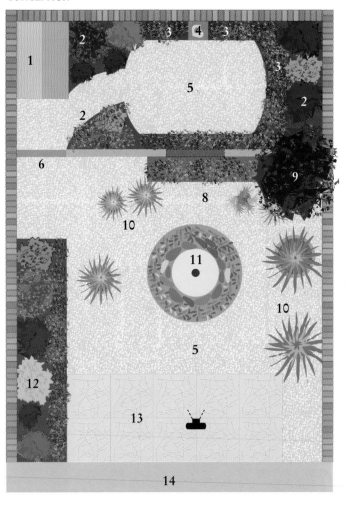

Le fait de diviser le jardin en sections plus petites crée un intérêt certain et invite à la découverte. Sur ce plan, la construction d'un mur percé d'un cercle superbe, non seulement attire immédiatement l'attention, mais laisse penser que le jardin se poursuit derrière. La sculpture contre le mur du fond capte le regard au-delà de cette forme circulaire, tandis que la fontaine au premier plan lui fait écho et équilibre l'ensemble. Les yuccas et les phormiums dans les pots qui encadrent cette fenêtre dans le mur, n'exigent qu'un arrosage minimum.

UN MUR AVEC VUE
Une « fenêtre » réalisée dans un mur fait presque toujours

RÉALISATION

l'unanimité. C'est un « truc » de design qui exerce un réel attrait. Dans un mur d'enceinte, des fenêtres fonctionnent parfaitement si la vue à l'extérieur est jolie ; sinon il est préférable de les positionner à l'intérieur du jardin.

Les formes à donner à ces fenêtres n'ont que les limites de votre imagination ; elles sont pourtant le plus souvent rectangulaires, ovales, circulaires ou en forme d'arcade. Votre décision peut dépendre du matériau dans lequel est construit le mur. Si vous n'avez aucune expérience pratique de construction, il est plus sage de faire appel à un professionnel.

⩥ CI-DESSUS
Il est possible d'ouvrir une fenêtre avec vue dans un mur de pierre. Celle-ci connut, à une époque, un certain succès pour ponctuer un long sentier ou une allée à l'intérieur du jardin.

⩥ CI-DESSUS
Tirez le meilleur parti d'une jolie vue au-delà d'un jardin. Ici, une arcade de briques, entourée de belles fleurs jaunes, encadre une élégante fontaine.

Conception et réalisation
À LA PLACE DU GAZON

Pour transformer un jardin existant en un jardin d'entretien facile, il suffit parfois de supprimer la pelouse. C'est une opération d'autant plus intéressante à considérer si vous n'aimez pas tondre ou que le temps vous fait défaut. Ici, le graviers s'est substitué au gazon, permettant au jardin de garder un attrait tout au long de l'année.

CONCEPTION

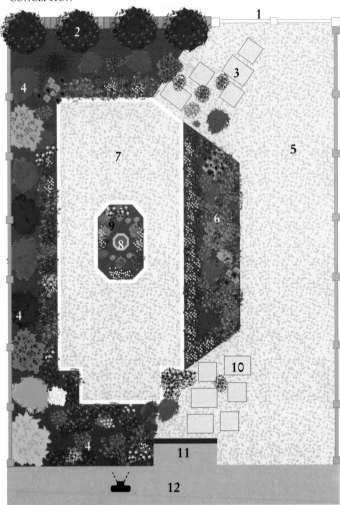

LÉGENDES DU PLAN

1 Clôture de piquets
2 Conifères
3 Dalles et plantes insérées dans le gravier
4 Massif de vivaces
5 Allée de gravier
6 Plate-bande de rosiers
7 Gravier
8 Bassin à oiseaux
9 Alpines et plantes rampantes
10 Dalles incorporées dans le gravier
11 Porte d'entrée
12 Maison

♣ lieu de la prise de vue

Tout le monde ne se sent pas capable de redessiner entièrement un jardin, dans le but de réduire le temps passé à l'entretien ou l'effort physique. Il suffit souvent de changer certains éléments qui occasionnent trop de travail, et dans ce domaine, la pelouse vient en première position. Il a été décidé ici de la remplacer par du gravier, car la tonte de l'herbe devenait une corvée. On a conservé les massifs existants pour lesquels il faudra tout de même procéder au désherbage et à la taille des fleurs fanées. Une bordure a été ajoutée afin d'éviter qu'il ne se répande dans les plates-bandes voisines.

LE CAS CONTRAIRE
Si vous considérez qu'un jardin sans pelouse n'est pas un jardin, et si l'entretien des massifs fleuris n'est pas votre souci premier, vous pouvez conserver le gazon et garnir les plates-bandes et les massifs de gravier. En ajoutant quelques nouveaux massifs de gravier dans la pelouse, vous restreindrez la surface à tondre et diminuerez la pousse des mauvaises herbes.

RÉALISATION

CRÉER UN MASSIF DE GRAVIER

1 Déterminez une forme à l'aide d'un tuyau d'arrosage ou d'une corde, ou par une ligne de sable. Les massifs ovales s'intègrent facilement dans les petits jardins.

2 Découpez les contours à l'aide d'une bêche arrondie ou d'un outil spécial, en suivant la corde ou le tuyau.

3 Enlevez l'herbe sur 10 cm de profondeur, versez 8 cm de gravier. Le niveau du gravier doit être légèrement inférieur à celui de la pelouse pour ne pas se répandre.

4 Afin de pouvoir planter dans le gravier, incorporez au sol du fumier décomposé ou du compost maison, de même qu'un engrais à diffusion lente.

5 Laissez le compost se tasser avant d'ajouter le gravier uniformément sur la surface compactée, et pour finir nivelez avec un râteau.

6 Dans le gravier, il est recommandé d'espacer suffisamment les plantes et de disposer quelques pierres ou galets pour renforcer l'aspect décoratif.

Conception et réalisation

UN ANGLE ORIGINAL

Un jardin situé dans un angle est difficile à dessiner, mais vous pouvez l'isoler par un mur et bénéficier ainsi d'une certaine intimité.

CONCEPTION

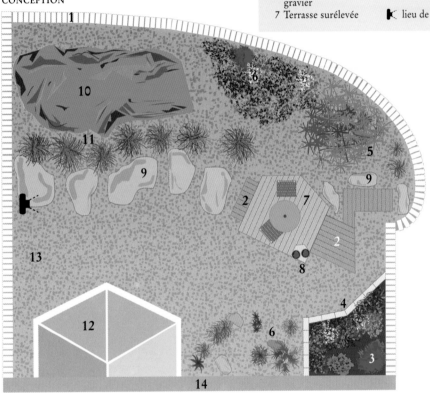

Ici, le mur élevé procure une agréable intimité, et transforme ce jardin étonnamment sec en une oasis. La peinture blanche reflète la lumière et fait resplendir cet espace pourtant clos.

Dans certains cas, la hauteur des murs peut être limitée, surtout s'ils gênent la visibilité pour la circulation dans un carrefour ; n'hésitez pas à vous renseigner auprès des autorités compétentes.

COUVRE-SOLS PEU COÛTEUX
Les plantes couvre-sols en grand nombre forment un tapis de végétation et suppriment les mauvaises herbes, réduisant ainsi l'entretien au minimum. Si votre budget jardin est limité, achetez quelques plantes dans de grands conteneurs et si possible divisez-les. *Pachysandra* est un parfait exemple de couvre-sol facile à diviser, même quand la plante est encore jeune.

PLANTER UN COUVRE-SOL

1 Les plantes couvre-sols qui ont des racines traçantes ou une couronne de racines fibreuses se divisent facilement en trois ou quatre. Arrosez la plante environ une demi-heure à l'avance.

2 Sortez délicatement la plante du pot. Tapez légèrement le pot sur une surface dure s'il y a résistance, afin d'extraire la plante sans abîmer les racines.

3 Séparez la motte avec soin, en maintenant de la terre autour des racines. Vous pouvez utiliser deux fourches à main pour diviser les plantes avec une couronne de racines fibreuses.

4 Si la plante ne se sépare pas facilement, essayez avec un couteau, sans trop l'abîmer.

RÉALISATION

5 Cette plante a été divisée en huit plus petites, mais le nombre obtenu dépend bien sûr de la taille de la plante au départ.

6 Replantez immédiatement dans le gravier ou la terre, si vous ne voyez pas d'inconvénient à commencer avec des petites plantes. Sinon, mettez-les en pots et faites-les pousser une année supplémentaire avant de les mettre au jardin. Arrosez bien les nouvelles plantations jusqu'à ce qu'elles soient complètement établies.

Sélection de plantes
PLANTES D'ENTRETIEN FACILE

Une intervention par an suffit avec les plantes d'entretien facile, notamment la plupart des arbres et des arbustes. Certaines variétés recouvrent le sol de leur feuillage, évitant ainsi l'apparition des mauvaises herbes – on les appelle des plantes couvre-sols.

ARBUSTES DE PREMIER CHOIX
La plupart des arbustes sont d'entretien facile. Si vous ne souhaitez intervenir qu'une fois par an, choisissez des persistants. *Viburnum tinus* fleurit de novembre à mars, mais il faut le tailler. La plupart des véroniques arbustives, *Hebe*, ont un port compact et une jolie floraison, bien que toutes ne soient pas parfaitement rustiques.

Euonymus fortunei 'Emerald' n' Gold' pousse à l'ombre ou au soleil, s'étale horizontalement, ou grimpe le long d'un mur ou sur un tronc d'arbre ; sa vigueur n'est pas difficile à contrôler. Son feuillage panaché est très lumineux en hiver.

Hebe 'Purple Picture' est un bon exemple d'arbuste d'entretien facile. C'est une plante compacte, au feuillage persistant, mais qui ne supporte pas les hivers trop rigoureux.

ARBUSTES COUVRE-SOLS
Le lierre est un excellent couvre-sol à l'ombre, mais plus intéressants sont les cotoneasters au port prostré, comme *Cotoneaster dammeri*, avec ses baies rouges, les formes panachées de fusain, *Euonymus fortunei*, et bien sûr, tous les types de bruyères (surtout *Calluna* et *Erica*). *Pachysandra terminalis* 'Variegata' forme un joli tapis vert et blanc, même dans un sol sec à l'ombre.

BELLES PLANTES DE MASSIFS
Choisissez des plantes de massifs qui n'ont pas besoin de tuteurage, qui ne sont pas sensibles aux parasites comme les pucerons, ou aux maladies comme l'oïdium, et

Sedum spectabile anime les massifs en automne, tandis que la plupart des plantes voisines sont fanées. Il en existe plusieurs variétés et hybrides. Ces plantes grasses ne réclament aucune attention et n'ont pas besoin de tuteurs.

qui ne nécessitent pas de divisions fréquentes. Répondant à tous les critères, vous trouvez les astilbes, les hemérocalles, les kniphofias, les rudbeckias et pour une floraison plus tardive, *Sedum spectabile.*

COUVRE-SOLS HERBACÉS
Même si la plupart des couvre-sols non ligneux disparaissent pendant l'hiver, ils présentent, à l'inverse des arbustes, une belle floraison en été et suppriment les mauvaises herbes pendant cette saison. Les hostas et les géraniums vivaces, tels que *G. endresii*, entrent dans cette catégorie.

Les géraniums vivaces sont des plantes couvre-sols très appréciées pendant l'été. Même si le feuillage disparaît durant l'hiver, leur floraison dans divers coloris est plus éclatante que chez la plupart des autres couvre-sols.

DES ARBRES POUR TOUTES LES SAISONS
Les arbres en grande majorité ne réclament que très peu d'entretien. Laissez-vous tenter par vos préférés, en fonction bien sûr de l'espace disponible. Dans un jardin

de tailles petite à moyenne, optez pour les pommiers d'ornement, *Malus*, les cerisiers à fleurs, différents *Prunus*, certains sorbiers comme *Sorbus vilmorinii*. *Acer griseum* est un bel arbre dont l'écorce, couleur cannelle, est très décorative en hiver.

Acer griseum fait partie d'un certain nombre d'érables qui ne deviennent pas trop imposants. Leur croissance est lente et bien ordonnée et leur feuillage d'automne un véritable plaisir. L'écorce de couleur cannelle a un attrait supplémentaire tout au long de l'année.

CONIFÈRES COMPACTS
Les conifères nains ou à croissance lente sont parfaitement adaptés aux jardins d'entretien facile, mais souvenez-vous qu'à terme, certains atteignent une taille respectable, et qu'il faudra peut-être les déplacer. Leur silhouette architecturale est particulièrement intéressante dans les jardins peu plantés. Les ports sont multiples : les minces et élancés comme *Taxus baccata* 'Fastigiata Aurea', à l'éclatant feuillage doré ; les arrondis comme le cyprès vert *Chamaecyparis lawsoniana* 'Minima' ; les ovales

Avec son feuillage doré, sa silhouette ovale et sa croissance compacte, *Thuja orientalis* 'Aurea Nana' est un choix approprié pour un massif de conifères et de bruyères d'entretien facile. Il se développe lentement et dépasse rarement 60 cm de haut. Son feuillage prend une couleur bronze en hiver.

comme le thuya doré *Thuja orientalis* 'Aurea Nana' ; et les prostrés, excellents couvre-sols, comme *Juniperus horizontalis* 'Bar Harbour'.

PLANTES ALPINES POUR LE GRAVIER
La plupart de ces plantes apprécient un bon drainage et de ce fait se plaisent dans le gravier. Certaines

On plante souvent l'œillet de mer, *Armeria maritima*, dans les rocailles, mais il s'adapte aussi très bien dans le gravier. De grandes surfaces de gravier gagnent souvent à être parées de ce type de plantes.

d'entre elles peuvent devenir envahissantes, choisissez des plantes qui forment des touffes comme l'œillet de mer *Armeria maritima* et les œillets de rocaille pour moins d'entretien. De nombreuses autres plantes répondent à ces critères.

DES HAIES SANS PROBLÈMES
En fonction des plantes qui les composent, l'entretien des haies peut devenir une corvée. Évitez les plantes à croissance rapide, tels le troène, *Ligustrum ovalifolium*, ou le chèvrefeuille arbustif, *Lonicera nitida*. Écartez aussi les grands conifères comme × *Cupressocyparis leylandii* qui exigent une lourde maintenance. *Berberis thunbergii*, *Fagus sylvatica*, *Ilex aquifolium* sont parmi les plantes formant une haie restreinte et ne demandant qu'une intervention par an ; pour les conifères, prenez *Taxus baccata* ou *Thuja plicata* 'Atrovirens'.

Une taille annuelle suffit pour les haies de berberis, mais deux coupes supplémentaires leur donneront un aspect plus formel. Plantés serrés, les berberis forment une limite efficace et plaisante au jardin, et peuvent aussi atténuer les bruits ou masquer une vue inesthétique, tels un garage ou le tas de compost.

TERRASSES, BALCONS ET JARDINS SUR LE TOIT

Il ne semble guère possible de concevoir un jardin sans un endroit où s'asseoir, et même si certains bancs ou sièges nichés dans une arche de verdure ne manquent pas de charme, rien ne remplace une terrasse ou un patio pour se détendre, manger ou boire un verre, au cœur d'un joli jardin.

Si vous n'avez pas de jardin ou s'il est minuscule, une terrasse ou même un balcon peuvent en tenir lieu, et devenir une pièce supplémentaire. Sur un terrain plus spacieux, les possibilités de terrasses sont multiples.

La proximité de la maison est un emplacement logique pour une terrasse surtout si vous l'utilisez pour les repas, mais ce ne sera pas nécessairement un rectangle, situé tout de suite en sortant. La terrasse peut former un angle autour d'un coin de la maison. Elle peut aussi être éloignée de l'habitation – le plan n'en sera que plus intéressant si elle se trouve à l'autre bout du jardin ou dans une partie latérale.

❦ CI-DESSUS
Une retraite ombragée pour dîner au frais, associant
le bois naturel des bancs et une table de pierre robuste.

❦ PAGE DE GAUCHE
Dans un espace restreint, un petit banc arrondi agrémente un joli coin repos.
Placez-le à l'endroit où vous pourrez apprécier le fruit de votre labeur.

QUELQUES IDÉES

Demandez-vous si vous souhaitez une terrasse garnie de plantes et de fleurs, ou un espace plus dépouillé ou plus «architectural», avec peu de végétaux mais un fort impact visuel. Une terrasse réussie prolonge souvent le style de la maison.

CI-CONTRE

Les jardins sur les balcons peuvent être étonnants de simplicité. C'est le cas de celui-ci, dont un mur solide garantit l'intimité et la protection des vents. Un style semblable pourrait être appliqué à une terrasse, surtout si le reste du jardin est suffisamment spacieux pour donner libre cours à votre goût pour les plantes. L'accent est mis sur le rapport des formes entre elles et sur l'espace laissé sans plantes ni mobilier.

⚜ PAGE DE GAUCHE

Un jardin contemporain pour climat chaud. De grands cactus poussent au milieu du gravier, ponctué de pierres et de rochers. Ce jardin est véritablement conçu pour se détendre et profiter du soleil. Le mobilier noir convient au style moderne, minimaliste du jardin.

⚜ CI-DESSUS

Ce coin repos forme un contraste total avec le balcon au mur blanc de l'illustration ci-contre. Ici, le jardin enveloppe les bancs ; c'est en quelque sorte une mini-terrasse nichée au plus profond des plantations. Ce n'est pas un lieu où se retrouvent toute la famille ou les amis, mais un endroit douillet et intime où un couple, ou deux ou trois amis peuvent se détendre en parlant de jardinage.

QUELQUES IDÉES

Si vous jardinez dans un endroit restreint, vous aurez envie de le submerger de plantes, mais dans un grand jardin où les massifs sont nombreux, vous souhaiterez peut-être vous tenir à l'écart des insectes qu'attirent les fleurs, pendant les moments de détente ou les repas.

CI-CONTRE
Un lieu de repos, isolé, ne manque pas de charme ; c'est en fait une partie du jardin plutôt qu'une terrasse à l'écart. Le mobilier peint en blanc attire l'attention, au milieu de ce qui pourrait n'être qu'un fouillis de plantes. Les treillis blancs qui reprennent la couleur du mobilier, délimitent une zone du jardin visiblement bien pensée et parfaitement intégrée.

CI-DESSUS

Dans un grand jardin, un espace ainsi conçu offre une retraite protégée. Les poutres supérieures non seulement donnent l'illusion d'une pièce à l'extérieur, mais servent aussi de support à un choix de grimpantes persistantes. Ces grimpantes vont fournir une superbe canopée, mais assurez-vous que les poutres sont suffisamment hautes pour que les plantes ne deviennent pas une gêne, surtout si vous plantez des roses.

CI-CONTRE

Les balcons sont parfois exposés aux éléments, ou aux regards extérieurs. L'emploi massif de plantes, et surtout de grimpantes, aide en partie à résoudre le problème et transforme une zone pavée nue en un décor reposant.

Ici, des arbustes palissés contre le mur de la maison et des grimpantes qui s'accrochent à un support sur le bord du balcon forment un rideau de verdure efficace.

Conseils pratiques

UN COIN OÙ S'ASSEOIR

Les jardins sont des lieux où il devrait être aussi agréable de se détendre que de travailler. Si un transat ou un fauteuil permettent facilement de passer quelques heures au soleil, une terrasse ou un balcon doivent être conçus et meublés pour devenir des endroits accueillants où il fait bon boire et manger au frais.

Impossible de concevoir un jardin sur un balcon ou une terrasse sans un endroit où s'asseoir; l'atmosphère qui s'en dégage dépend du style et du matériau du mobilier choisi. Par exemple, une table et des chaises inappropriées peuvent gâcher une terrasse intelligemment conçue et bien construite, alors qu'un mobilier bien choisi suffit à transformer une terrasse quelconque en un endroit agréable.

❧ CI-DESSUS
LES CHAISES PLIANTES Les balcons sont les plus problématiques car l'espace y est souvent limité. Pensez à utiliser des chaises de metteur en scène, que vous pouvez plier et rentrer à l'intérieur.

SUGGESTIONS *Concevez un jardin sur un balcon, facile d'accès, avec un espace où plusieurs personnes peuvent se réunir sans être gênées par les plantes. Pour cela, groupez plusieurs pots à un endroit donné, l'effet n'en aura que plus d'impact.*

❧ PAGE DE DROITE, EN BAS
LA FONTE D'ALUMINIUM La fonte d'aluminium a le charme de la fonte d'autrefois, tout en présentant l'avantage d'être beaucoup plus légère. Ce type de mobilier est disponible en plusieurs coloris.

SUGGESTIONS *Le brun et le vert se fondent dans le jardin, alors que le blanc ressort. Choisissez une couleur en fonction de l'effet recherché.*

❧ CI-CONTRE
LE BOIS Le mobilier en bois naturel trouve sa place pratiquement partout. Ici, le siège est installé comme à l'intérieur d'une pièce, ce qui donne l'impression d'une extension de la maison.

SUGGESTIONS *Placez votre mobilier de manière à profiter au maximum des couleurs, des parfums et des points de vue du jardin. Une grimpante odorante est un plaisir supplémentaire lors de votre tour de jardin quotidien.*

⚘ CI-DESSOUS

LES BANCS Certaines tables avec bancs intégrés rappellent un peu les aires de pique-nique, mais il en existe de plus petites, plus stylées, d'un goût plus sûr. Celle-ci a été vernie pour conserver son aspect naturel, ce qui la rend à la fois esthétique et pratique.

SUGGESTIONS Évitez de placer une table rectangulaire perpendiculaire à un mur ou au bord du pavage. L'effet sera beaucoup plus joli si vous donnez un autre angle, comme sur cette illustration.

⚘ CI-DESSUS

LES MATÉRIAUX NATURELS Impossible de laisser dehors le mobilier en rotin ou en osier sous les climats humides, mais son poids léger permet facilement de le rentrer à l'abri. Ce type de chaise renforce l'impression que votre terrasse ou votre balcon sont vraiment une extension de la maison.

SUGGESTIONS Les meubles blancs ressortent bien sur un fond de verdure, alors que dans un endroit clair et ensoleillé, avec beaucoup de pavage et peu de plantes, ils paraîtront un peu rigides. Choisissez une couleur en harmonie avec le lieu.

L'IMPORTANCE DES MATÉRIAUX

Le prix et la qualité du mobilier de jardin varient considérablement, mais il en existe pour tous les goûts et toutes les bourses. Pour commencer, cherchez quelque chose d'approprié à l'endroit ; évitez de partir avec une idée arrêtée sur une matière spécifique ou un prix à ne pas dépasser. Peut-être vaut-il mieux acheter une pièce de mobilier de bonne qualité et qui vous plaise plutôt que plusieurs moins chères.

Plastique et résine sont souvent écartés, alors que certains types sont des matériaux robustes, durables, et présentent l'avantage d'être faciles à nettoyer, à empiler et à ranger. Si pour vous ces qualités priment, ne rejetez pas ces matériaux.

Les meubles en bois ont toujours beaucoup de succès, mais la bonne qualité se paie. Le bois exotique, fait pour durer des années, est cher et il est lourd à déplacer. Une fois l'an, il faut le nettoyer et l'enduire d'une huile ou d'un produit traitant pour qu'il conserve sa couleur.

Le mobilier en fonte se fait toujours, et convient à une atmosphère de jardin particulière, mais il est très lourd à transporter. Les copies en fonte d'aluminium présentent le même aspect, tout en étant plus légères. Leur prix assez élevé est justifié.

Ce mobilier est habituellement peint ou recouvert d'une résine protectrice. Le blanc est le plus répandu, mais c'est aussi le plus salissant. Le brun, le vert, voire le bleu sont des couleurs moins fragiles, et ne manquent pas de charme.

Conseils pratiques
UN LIEU ADAPTÉ

Ne manquez pas de fantaisie pour choisir le
lieu de votre coin détente ou repas – il ne doit
pas nécessairement être accolé à la maison,
ni prendre la forme classique d'une terrasse.
De nombreuses autres possibilités existent qui
n'ont pour limites que votre imagination.

⚜ CI-CONTRE
PROCHE POUR LE CONFORT Il y a beaucoup d'arguments
en faveur d'une terrasse tout près de la maison – surtout si vous
recevez beaucoup. Cette disposition est aussi très pratique pour
arroser les plantes à partir du robinet de la cuisine, et aller
cueillir les fines herbes plantées en conteneurs.

SUGGESTIONS *Placer une terrasse à 45° par*
rapport à la maison apporte un petit rien d'originalité
et peut permettre de mieux profiter du soleil.

UN ENDROIT PROTÉGÉ Voici une terrasse traditionnelle, bien abritée, à proximité de la maison. Elle est purement fonctionnelle et s'intègre bien à ce jardin de campagne. Le léger changement de niveau entre les dalles et la pelouse délimite les contours.

SUGGESTIONS *Choisissez un emplacement à l'abri du soleil de midi, de la pluie et protégé des vents froids. L'ombre pendant une partie de la journée est plus un avantage qu'un inconvénient, mais assurez-vous qu'il y ait tout de même un ensoleillement de plusieurs heures.*

❧ **CI-DESSUS**
LE CENTRE D'INTÉRÊT Difficile d'imaginer une terrasse en plein milieu du jardin, et pourtant une telle situation donne le sentiment d'un espace vraiment conçu pour y vivre. Dans ce cas, un beau mobilier de jardin est essentiel puisqu'il devient le centre d'intérêt.

SUGGESTIONS *Osez la différence, votre jardin n'en aura que plus de personnalité et de force dans sa conception.*

❧ **PAGE DE GAUCHE**
UNE OASIS PERMANENTE Il se dégage beaucoup de force de cet agencement si particulier. La terrasse située à l'écart de la maison, et d'où l'on peut admirer le jardin dans toute sa splendeur, permet de profiter du soleil l'après-midi. Son emplacement au centre de la pelouse est un des attraits du jardin. Les sièges légers sont faciles à déplacer si besoin est, tandis que la table fixe, avec sa jardinière centrale, est agréable à regarder toute l'année.

SUGGESTIONS *N'ayez pas peur de concevoir un jardin qui ait l'air habité, et n'hésitez pas à construire des structures fixes. Le jeu en vaut la chandelle!*

RIEN NE REMPLACE UN BON SENS DE L'OBSERVATION

Il est important de bien situer la terrasse, et un bon emplacement sur un plan ne se révèle pas toujours aussi judicieux dans la réalité. Prenez le temps de vous asseoir dehors à divers moments de la journée et par des temps différents, pour essayer d'évaluer si l'endroit est confortable, et si cela fonctionne en termes de design.

Vous découvrirez très vite si l'ombre, les écoulements des arbres, ou les courants d'air créés par les vents froids entre les bâtiments risquent de poser problème. Vous aurez aussi une meilleure idée de votre intimité par rapport au regard des voisins sur votre propriété – un écran ou le choix d'un autre emplacement pour la terrasse peuvent s'avérer nécessaires. Une haie ou un mur vous apporteront abri ou intimité, de même qu'une pergola au-dessus de la terrasse. Tous ces détails doivent être intégrés au plan au moment de la conception du jardin.

Conseils pratiques
MANGER DEHORS

Un repas pris dehors paraît toujours meilleur que dans la salle
à manger. Même si le barbecue parfois vous enfume et si
quelques guêpes vous tournent autour, tout est plus agréable.
Si les dîners entre amis tiennent une part importante dans
votre vie, pensez à tous les côtés pratiques que cela implique
au moment de concevoir votre terrasse.

LES BARBECUES MOBILES

Les barbecues construits en dur ont plus de classe et évoquent immédiatement un jardin pensé, mais quand l'espace est limité, il faut envisager d'autres solutions.

Certains barbecues sur roulettes peuvent être sortis quand c'est nécessaire ; parmi ceux-ci, il en existe avec un couvercle, plus pratiques, peu coûteux et assez esthétiques. À proximité de ces barbecues, prévoyez une desserte pour le côté fonctionnel du service.

Si vous construisez un barbecue, intégrez un plan de travail ou des étagères pour poser assiettes et accessoires de cuisine.

❧ PAGE DE GAUCHE, EN HAUT
DEUX EN UN Il n'y a rien de plus triste qu'un barbecue qui n'est pas en service. Alors pourquoi ne pas le transformer en siège ? Retirez la grille et la plaque de métal, faites disparaître toute trace de cendre, et disposez une assise en bois. Ajoutez un coussin, la métamorphose est totale et confortable !

SUGGESTIONS *Dans un petit jardin, tirez le meilleur parti de l'espace. Pensez à des éléments multi-fonctions ou que vous pouvez facilement ranger.*

❧ PAGE DE GAUCHE, EN BAS
CONCEVOIR DES ÉCLAIRAGES Plusieurs éclairages disposés au pied d'un arbre diffusent une lumière subtile pendant le dîner, et des ombres aussi superbes que spectaculaires.

SUGGESTIONS *L'éclairage se conçoit dès le début du projet, afin d'éviter tout rajout de câbles électriques pouvant être dangereux. Les systèmes en basse tension sont les plus sécurisants ; ceux en moyenne tension sont plus puissants et restent sûrs s'ils sont installés par un professionnel. Le coût du câblage sera moins élevé si l'installation est proche de l'alimentation principale.*

❧ CI-DESSUS
UN BARBECUE CONSTRUIT EN DUR
Si vous aimez recevoir vos amis dans le jardin, prévoyez dès le départ un coin repas et un barbecue sur le plan de la terrasse. Cet élément peu décoratif quand il n'est pas en fonction, est entouré d'un banc blanc qui anime un coin qui pourrait paraître terne après le départ des invités.

SUGGESTIONS *Construisez un barbecue qui soit discret quand il ne sert pas. Évitez toutefois de le placer près d'une clôture, sous un arbre et là où il y a des risques d'incendie.*

❧ EN HAUT
DES TORCHES ET CHANDELLES
Un éclairage sur une terrasse prolonge le plaisir et permet de profiter pleinement des soirées d'été. Torches, chandelles et lanternes créent une atmosphère agréable.

SUGGESTIONS *Placez les chandelles et les torches de manière à ce qu'elles projettent des ombres évocatrices sur le jardin. En les regroupant vous obtiendrez un éclairage suffisant pour un repas romantique. Toutefois, ne les laissez jamais sans surveillance.*

Conseils pratiques
LES SOLS

La forme et l'emplacement
d'une terrasse sont les
premières décisions, puis
vient le choix du matériau
pour le sol. Son importance
est capitale puisque c'est
ce choix qui déterminera
le style et l'originalité de
votre terrasse. Les erreurs
coûtent cher et sont difficiles
à cacher. Les matériaux
sont nombreux et les
combinaisons multiples ;
en voici quelques-unes.

PAGE DE GAUCHE, EN HAUT

LES PAVAGES Les briques et les dalles de terre cuite sont les plus appréciées pour les petites terrasses, et s'harmonisent parfaitement avec des piliers en briques ou des murets de rétention. Toutes les briques utilisées dans la construction ne conviennent pas toujours pour les pavages ; vérifiez auprès de votre fournisseur que celles que vous avez choisies sont bien adaptées à l'usage que vous voulez en faire.

SUGGESTIONS Les pots en terre cuite s'harmonisent bien à la brique, mais groupez-les pour obtenir un meilleur effet.

PAGE DE GAUCHE, EN BAS

DES PLANCHERS COMME DES PONTS DE BATEAU Une terrasse en plancher est agréable à regarder et se marie à la plupart des plantes. Il existe de nombreux styles de planchers (voir encadré ci-dessus) ; utilisez des lasures de couleurs différentes pour varier les effets. Faites d'abord un essai sur une petite surface, et dessinez le motif souhaité avant d'acheter les lattes de bois, pour être sûr qu'il s'adapte bien à la forme et au style de votre terrasse. Les planchers recouvrent aussi de façon esthétique et avec une certaine unité des surfaces irrégulières.

SUGGESTIONS Les meubles en bois s'accordent bien au plancher, mais rien n'empêche l'emploi d'autres matériaux pour le mobilier. Si vous délimitez votre terrasse en bois par des treillages, utilisez un ton de lasure coordonné.

PLANCHERS DÉCORATIFS

La façon dont les lattes sont assemblées change l'aspect du plancher, comme le montrent ces huit variations. Certains motifs ne conviennent pas à un plancher de forme irrégulière. Ceux composés d'un nombre de carrés symétriques sont mieux adaptés à une terrasse rectangulaire.

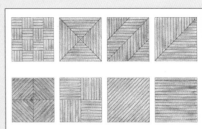

Dans le doute, faites quelques essais de composition, avant de couper et de fixer les lattes.

CI-DESSUS

EFFETS CONJUGUÉS Les dallages en béton, associés à de la brique sont assez plaisants dans un design de conception moderne. Sachez cependant que si vous optez pour des couleurs éclatantes, celles-ci finissent toujours par se ternir avec le temps.

SUGGESTIONS Terminez une terrasse en dalles de béton par une bordure en briques ou en terre cuite. Vous obtiendrez un contour précis et une plus jolie finition.

CI-CONTRE

LE BÉTON Ce matériau produit un bon effet dans un environnement approprié. Ici, l'association pavés et blocs, utilisés comme sièges, fonctionne très bien.

SUGGESTIONS Pensez au mariage entre les matériaux et les éléments de la terrasse. Les pavés en béton paraîtraient incongrus en compagnie d'un mobilier traditionnel en fonte d'aluminium.

Conception et réalisation

UNE COUR SOPHISTIQUÉE

Les dalles de terre cuite fonctionnent mieux que des briques ou un autre pavage dans une cour comme celle-ci, car elles contribuent à créer l'impression d'une pièce à l'extérieur, qui serait en fait le prolongement de la pièce à vivre.

CONCEPTION

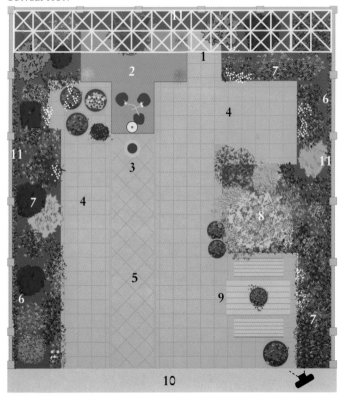

Voici la marche à suivre pour construire une tonnelle en treillage, que vous pouvez toutefois adapter si vous préférez construire une pergola.

CONSTRUIRE UNE TONNELLE EN TREILLAGE

Sur une terrasse ou dans une cour, ce type de dallage donne le ton. Les carreaux, aux coloris chauds, reflètent l'atmosphère méridionale de ce jardin. L'eau joue un rôle important ; le bassin formel n'a pas besoin d'être très grand et une fontaine discrète s'intègre mieux qu'un bouillonnement bruyant.

Même le plus joli des pavages peut paraître oppressant s'il y en a trop. Le fait de poser une bande dans la diagonale instaure une fracture visuelle, sans briser l'unité et l'harmonie qui règnent à l'intérieur de ce jardin. Le treillage posé en pergola et ceux qui habillent les murs, fournissent une ombre appréciée et une certaine intimité.

1 Faire un montage à blanc, pour avoir une idée du résultat. Deux des panneaux de 2 m × 0, 60 m sont pour les côtés et le troisième est pour le dessus. Les deux panneaux plus étroits et celui avec la partie concave sont pour le devant de la tonnelle, et le panneau de 2 m × 0, 90 m sera placé horizontalement sur le haut de la partie arrière. Sciez les poteaux de bois à la longueur voulue ; ils devraient mesurer 2 m plus la partie encastrée dans la base carrée du piquet métallique qui les maintiendra en place.

RÉALISATION

❦ CI-DESSUS
Un treillis vertical peint dans une teinte assortie au reste, et entouré de plantations colorées et odorantes, en massifs ou en pots, constitue un refuge paisible.

2 Commencez par la partie arrière. Écartez les poteaux de 2 m, marquez leur position, puis avec une masse, enfoncez les piquets métalliques (protégez le haut avec un morceau de bois ou avec l'accessoire conçu pour cet effet). Placez les poteaux dans ces fourreaux métalliques. Avec quelques clous galvanisés, fixez temporairement le haut du treillis sur le haut des poteaux. Puis à l'aide d'une perceuse et d'une mèche de 8 mm, percez des trous à intervalles réguliers du haut en bas des poteaux et vissez le treillis.

3 De la même manière, positionnez les poteaux extérieurs de devant et fixez les panneaux latéraux, puis les poteaux internes et les panneaux de devant. Fixez ensuite le panneau concave entre les deux panneaux de façade. Pour finir, vissez directement le toit dans les poteaux. Traitez la tonnelle avec une lasure extérieure.

OUTILS ET MATÉRIAUX

Pour une tonnelle de 2 m de long

- 3 treillis de 2 m × 0,60 m
- 2 treillis de 2 m × 0,30 m
- 1 treillis concave de 2 m × 0,45 m
- 1 treillis de 2 m × 0,90 m
- 6 poteaux carrés de 2,20 m de long et de 8 cm de côté
- 6 piquets métalliques de 75 cm de long pour poteaux de 8 cm de côté
- une scie
- une masse
- des clous galvanisés de 5 cm
- un marteau
- une perceuse-visseuse avec une mèche de 8 mm et un tournevis
- 40 vis galvanisées de 2, 5 cm
- 2, 5 l de lasure extérieure
- un pinceau

Conception et réalisation

UNE OASIS DE SENTEURS

Plutôt que de faire une terrasse formelle et bien structurée, essayez de l'implanter en bordure d'un massif. Vous serez vraiment au cœur de votre jardin et, grâce à des plantes odorantes à profusion, vous serez environné de fragrances.

CONCEPTION

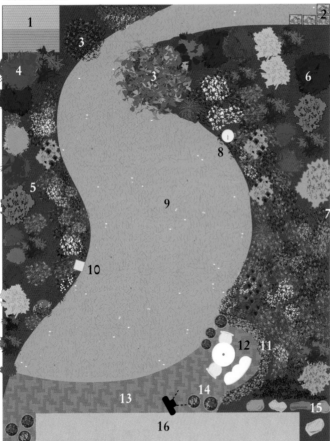

LÉGENDES DU PLAN

1 Abri de jardin
2 Coin compost
3 Arbre isolé
4 Écran de grands arbustes
5 Massif de vivaces
6 Arbustes indigènes qui font la transition avec la partie boisée en lisière
7 Lisière boisée
8 Cadran solaire
9 Pelouse
10 Ornement sur socle
11 Talus de thym derrière le coin repos
12 Table et chaises
13 Terrasse dallée
14 Lavandes en pots
15 Pas japonais
16 Maison

🔦 lieu de la prise de vue

aussi les abeilles, ce qui peut être un inconvénient.

DE JOLIS SIÈGES

Au lieu d'acheter du mobilier de jardin, vous pouvez, grâce à quelques coups de pinceau judicieux, redonner une deuxième jeunesse à une ancienne table et de vieilles chaises, et peut-être même les assortir aux coloris des plantes avoisinantes.

Des meubles en bois auront toujours fière allure, et vous serez sûr d'obtenir la couleur désirée, grâce aux centaines de teintes de peintures. Si vous n'avez pas de vieilles chaises, allez dans les dépôts-ventes, et pour les conserver plus longtemps, ne les laissez pas dehors quand vous n'en n'avez pas besoin.

Si vous n'êtes guère tenté par la formalité d'une terrasse rectangulaire à proximité de la maison, et si vous souhaitez que votre coin repos soit au cœur d'un jardin de style naturel, essayez de l'intégrer dans l'un des massifs.

Le talus de thym et la lavande en pots dégageront d'agréables senteurs. Mais n'oubliez pas que ces plantes aromatiques attirent

RÉALISATION

CI-DESSUS
Ces couleurs éclatantes ne s'harmonisent peut-être pas avec toutes les plantes, mais une telle chaise égaiera à coup sûr votre jardin.

CI-DESSUS
Des tons de blanc et de gris associés apportent une note de fraîcheur et se marient avec de nombreux environnements. Les couleurs naturelles ou passées contrastent avec les floraisons éclatantes de l'été.

CI-DESSUS
Joliment décorée avec les couleurs typiques d'un jardin en été, cette chaise est superbe, entourée de potées de pélargoniums d'un rouge ardent.

CI-DESSUS
Cette chaise bleue se marie bien aux tons de l'abri de jardin à l'arrière-plan. Le plaisir de concevoir un·tel projet réside dans le fait que vous pouvez choisir autant de couleurs et leurs nuances, pour jouer les harmonies ou les contrastes.

Conception et réalisation
SUR LE TOIT

Les possibilités de création de jardins sur un toit sont plus limitées en raison des contraintes techniques. Ce sont le mobilier et les plantations qui en définiront le style.

CONCEPTION

Les jardins sur les toits offrent plus de possibilités que les balcons car ils sont souvent plus grands, mais ils présentent les mêmes problèmes. La structure matérielle dicte la forme de base et les limites des réalisations possibles. Choisissez avec soin mobilier et plantes pour créer une atmosphère : ici, un plan simple de jardin formel avec plantations de buis et autres persistants « architecturaux ». Ces arbustes tolèrent le vent mieux que d'autres.

Ce toit est capable de supporter le poids des nombreux pots de terre cuite, mais dans d'autres cas il peut être préférable d'utiliser des conteneurs en plastique, garnis d'un terreau léger, capables toutefois de résister à des vents forts. Si vous avez des doutes à propos de la résistance de votre toit, n'hésitez pas à consulter un architecte.

TOPIAIRES CLASSIQUES
Les topiaires s'entretiennent facilement. Quand vous procédez à la taille, n'en faites pas trop. Des tailles légères et fréquentes, aux ciseaux, sont de loin préférables à une taille annuelle sévère à la cisaille.

RÉALISATION

▶ CI-DESSOUS, DE GAUCHE À DROITE

Topiaire en boule, topiaire en tire-bouchon, topiaire avec trois boules superposées et topiaire en boule classique. Vous pouvez facilement former des topiaires avec de jeunes plantes en faisant preuve de patience et d'adresse. Si vous achetez des spécimens déjà formés, vous aurez un effet immédiat.

EMPOTER LES TOPIAIRES

1 Transvasez la plante de son pot d'origine au pot de terre cuite, avec quelques tessons dans le fond. Remplissez l'espace autour de la motte avec du terreau de rempotage.

2 Tassez fermement le substrat sur les côtés, afin d'éviter la formation de poches d'air. Disposez de l'engrais en surface et arrosez copieusement.

3 Pour conserver l'humidité et obtenir une finition soignée, particulièrement avec les topiaires sur tige, déposez en surface une couche épaisse d'écorces ou de gravier.

Conception et réalisation

UN CENTRE D'INTÉRÊT

Votre terrasse ou votre coin repos n'aura que plus de charme si vous rompez avec la tradition, en les plaçant loin de la maison, au cœur du jardin, dont vous pourrez profiter pleinement.

CONCEPTION

LÉGENDES DU PLAN

1 Arbre isolé
2 Massif de vivaces
3 Grimpantes contre le mur
4 Arbustes
5 Porte à l'arrière du garage
6 Plantations mélangées
7 Grimpantes sur le mur du garage
8 Garage
9 Pavés de granit
10 Marches en pavés de granit
11 Allée
12 Maison

↑ sens de la descente des marches
🐾 lieu de la prise de vue

La structure de ce jardin ne repose sur aucune grille basée sur des rectangles ou une série de cercles, ce qui prouve que les règles du design peuvent être librement interprétées. Certains des plus beaux jardins donnent l'impression d'avoir évolué de façon naturelle, une partie se fondant avec l'autre. Comme les courbes et lignes droites ne font pas toujours bon ménage, ce jardin est fait de cercles, d'arcs de cercles et de courbes douces.

DES SIÈGES CONFORTABLES

Les sièges de jardin devraient être aussi pratiques qu'esthétiques. On trouve des sièges pleins de charme en fonte d'aluminium (qui ressemblent à des sièges en fonte, mais sont beaucoup plus légers et plus pratiques à l'extérieur), mais il est aussi possible de recycler de vieux fauteuils qui donneront du caractère à votre jardin.

L'association habile de chemins sinueux en pavés de granit et de plantations en masse transforme ce jardin d'un goût sûr en un régal pour les amateurs de plantes.

Le coin repos, situé au cœur du jardin, parmi arbustes et plantations mélangées, est un endroit magique où il fait bon s'asseoir et prendre un repas.

RÉALISATION

CI-CONTRE
Ce vieux fauteuil
« Loom » a été
repeint de deux
tons de bleu,
à l'aide d'une
bombe de
peinture pour
carrosserie.
Patiné par le
temps, il s'intègre
parfaitement dans
un jardin de curé.
Il ne résiste pas
aux intempéries,
mais peut être
sorti de la véranda
dans certaines
occasions.

CI-DESSUS
Les bancs métalliques ne sont guère
attrayants, mais celui-ci connaît une
deuxième jeunesse, grâce à une peinture
d'un beau bleu méditerranéen. Deux
coussins dans des tons assortis ajoute-
raient encore au charme de ce coin repos.

Conception et réalisation
ÉLÉGANCE FORMELLE

Même dans des jardins de ville de ce type, une longue perspective ponctuée d'un point de mire, confère une forme d'élégance spacieuse. Le côté formel est adouci par plusieurs zones attractives.

CONCEPTION

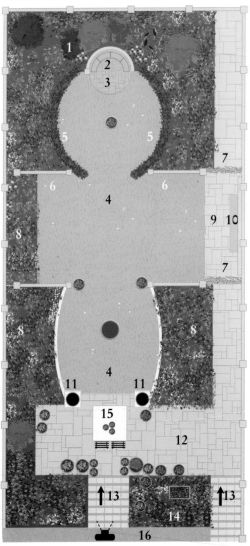

LÉGENDES DU PLAN

1 Massif d'arbustes
2 Treillage en arc de cercle abritant un siège
3 Zone pavée circulaire
4 Pelouse
5 Haie de buis (*Buxus sempervirens*)
6 Treillis stylés, plantés de grimpantes
7 Arcade avec grimpante
8 Massif de vivaces
9 Pavage à motif irrégulier
10 Pergola en treillage
11 Urne
12 Terrasse en pavage à motif irrégulier
13 Marches
14 Arbustes nains
15 Coin repos
16 Maison

↑ sens de la montée des marches

lieu de la prise de vue

Faisant appel à un certain nombre d'éléments intéressants, ce jardin illustre parfaitement la manière dont un simple treillage peut structurer visuellement l'espace. Des treillis de forme particulière séparent le jardin en une série de compartiments ; ils ajoutent hauteur et structure sans arrêter le regard ni diffuser une ombre épaisse comme le feraient une haie ou un mur. Les treillis peuvent être peints ou lasurés dans des teintes variées, afin de créer une ambiance particulière ou accentuer un style.

Toutes sortes de treillages sont disponibles chez les fournisseurs spécialisés, mais il est également possible de les faire faire sur mesure.

Le treillis en arc de cercle au fond du jardin abrite un petit coin repos, qui fait écho à la terrasse près de la maison et constitue également un point de mire. Plusieurs terrasses vous permettent de profiter pleinement du soleil, et elles n'ont pas toutes besoin d'être spacieuses. Ce type de plan est facile à réaliser, sans trop de constructions coûteuses, s'il existe déjà une pelouse centrale.

PLANTER DES GRIMPANTES

Tous les treillages, qu'ils soient élégants, comme dans ce projet, ou modestes, gagnent à être habillés de grimpantes. Ces plantes n'ont pas à recouvrir entièrement l'ensemble du treillis (parfois la structure dénudée renforce l'effet général).

Si les treillis sont le long d'un mur ou d'une clôture, il est important de planter les grimpantes à quelque distance du pied du mur, pour qu'elles puissent bénéficier de la pluie.

RÉALISATION

PLANTER UNE GRIMPANTE

1 Creusez un trou d'un diamètre deux fois supérieur à
celui de la motte, avec son
centre à 30 cm du mur ou de la
clôture, pour éviter que les
racines de la plante soient trop
au sec. Incorporez une bonne
quantité de fumier décomposé
ou de compost de jardin.

2 Arrosez la plante, puis
faites glisser la motte du
conteneur. Avec soin, démêlez les fines racines sur le
pourtour de la motte, pour
qu'elles se développent plus
rapidement dans le sol. Remettez la terre en place et tassez.

3 Détachez les tiges de leur
support, étalez-les largement vers le bas et fixez-les
sur les treillis.

4 Arrosez copieusement
après la plantation, et
continuez les arrosages jusqu'à ce que la plante soit bien
établie. Appliquez un paillis
sur le sol pour retenir l'humidité et supprimer l'apparition
des mauvaises herbes.

Conception et réalisation

L'ÉLÉGANCE SIMPLE

Les formes les plus simples, bien exécutées, sont parfois les plus efficaces. Ce jardin est conçu de plusieurs rectangles autour d'une grande pelouse. La terrasse est reliée à la maison par un pavage en chevrons, fort élément « architectural ».

CONCEPTION

LÉGENDES DU PLAN

1 Haie
2 Coin compost
3 Abri de jardin
4 Chemin de gravier
5 Arbre isolé
6 Massif de vivaces
7 Pergola sur piliers en briques
8 Terrasse pavée en briques
9 Grimpantes sur la pergola
10 Pelouse
11 Bassin bordé en briques
12 Chemin en briques
13 Petit arbre isolé
14 Arbustes nains
15 Pavage en briques
16 Maison

➤ lieu de la prise de vue

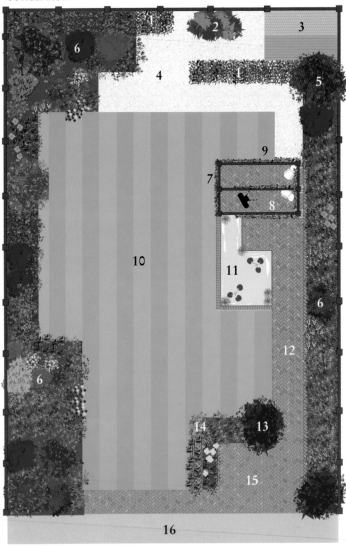

L'unité d'un jardin repose sur le choix des matériaux et le dessin de base. Ici, la brique est largement utilisée pour relier différentes parties du jardin, et en particulier la terrasse à la maison. Les piliers en briques pour la pergola rappellent ce thème et deviennent un élément dominant dans l'ensemble du plan.

Un éclairage est incorporé dans les piliers sur la terrasse, permettant de prolonger les moments de détente après la tombée de la nuit.

LA POSE DE PAVÉS DE BÉTON OU DE TERRE CUITE

On pose généralement les briques sur un lit de mortier, les joints étant également comblés au mortier ; en revanche, c'est directement sur une couche de sable que l'on pose les pavés de béton ou de terre cuite. Leurs faibles dimensions font qu'ils s'emboîtent naturellement et les joints sont simplement garnis de sable compacté ou tassé. Ces pavés peuvent remplacer avantageusement les briques sur une terrasse ou pour une allée.

RÉALISATION

POSER LES PAVÉS

1 Décapez le sol et préparez une sous-couche d'environ 5 cm de blocage ou d'un mélange de sable et de gravier. Posez une rangée de pavés à une extrémité et sur un des côtés. Vérifiez qu'elles sont à niveau, puis scellez-les avec du mortier.

2 Versez une couche de sable d'environ 5 cm sur la zone à paver, puis posez une planche de bois de façon à ce que ses extrémités encochées prennent appui sur deux règles de niveau. Déplacez la planche pour niveler la surface du sable.

3 Posez les pavés suivant le motif choisi, sur environ 2 m à la fois. Vérifiez qu'ils s'emboîtent bien et reposent fermement sur le bord. Cimentez les bordures au fur et à mesure de votre progression.

4 Louez une dameuse à moteur pour consolider le sable, sinon utilisez une planche et une masse pour tasser les pavés. Ne vous approchez pas trop près de bords non supportés avec la dameuse, vous risqueriez de les abîmer.

5 À l'aide d'un balai, introduisez du sable dans les joints entre les pavés, puis damez ou tassez de nouveau. Pour une finition soignée, n'hésitez pas à damer une nouvelle fois. Vous pouvez utiliser votre terrasse immédiatement.

Sélection de plantes
PLANTES POUR TERRASSES, BALCONS ET TOITS

Vous pouvez cultiver de nombreuses grimpantes arbustives et annuelles pour habiller les murs d'une terrasse, et des arbustes «architecturaux» comme points d'intérêt. Les annuelles et les vivaces non rustiques en pot apporteront une note colorée pendant l'été.

GRIMPANTES ET ARBUSTES À PALISSER

Les balcons et terrasses ont souvent un mur de séparation sur au moins un côté, que de jolies grimpantes ou des arbustes à palisser rendront plus esthétique. Le lierre couvre de grands murs mais gagnera à être mélangé à des plantes à fleurs ou à baies. Les clématites à grandes fleurs sont idéales, mais évitez les variétés très envahissantes comme *Clematis montana*. Si l'espace est restreint, abstenez-vous de planter des grimpantes à épines, ou des rosiers. Les pyracanthas, toutefois, sont faciles à palisser et à contenir.

Les clématites à grandes fleurs sont spectaculaires quand elles grimpent contre un treillis. Ces variétés sont *Clematis* 'Nelly Moser' (en haut) et 'Lasurstern' (en bas), mais vous n'aurez que l'embarras du choix dans les jardineries.

ARBUSTES «ARCHITECTURAUX»

Ce sont des plantes très structurées aux contours bien délimités avec de grandes feuilles ou des lignes pointues que vous disposerez pour qu'elles attirent l'attention. Évitez les plantes dont les extrémités des feuilles sont piquantes comme *Yucca gloriosa*, elles peuvent être dangereuses, surtout pour les enfants. Les feuilles de *Cordyline australis* sont plus souples et offrent de jolies formes panachées. Avec leur feuillage coloré ou panaché, les phormiums sont spectaculaires en massifs ou grands conteneurs.

Cordyline australis 'Albertii' est une forme panachée de cette plante architecturale, très décorative. Elle est probablement moins rustique que les espèces à feuilles vertes, et une protection hivernale est indispensable dans certaines régions.

PLANTES DE MASSIFS POUR CONTENEURS

En dehors des hostas, peu de plantes de massifs poussent en conteneur mais tentez l'expérience s'il vous reste quelques vivaces après la division des touffes. L'effet obtenu est surprenant, car elles ne sont pas habituellement cultivées de cette manière. Des potées de *Lychnis coronaria* ou de *Ligularia dentata* 'Desdemona', avec ses

Les formes d'*Hosta* sont multiples. Certains sont joliment panachés et d'autres ont de belles fleurs. Arrosés régulièrement, ils poussent très bien en conteneur, et sont de ce fait des plantes idéales sur les terrasses.

grandes feuilles presque pourpres, surprendront vos visiteurs. Les plantes cultivées pour leur feuillage sont souvent les plus intéressantes.

ARBRES ET ARBUSTES POUR CONTENEURS

Ce sont le plus souvent les annuelles qui apportent la couleur sur votre terrasse, mais celle-ci paraîtra moins terne en hiver avec quelques arbustes persistants dans de grands conteneurs. *Viburnum tinus* est particulièrement agréable car il fleurit en hiver. C'est surtout pour son feuillage étonnant que l'on cultive *Fatsia japonica*, mais les plantes adultes ont une floraison blanche en fin d'automne. Il est possible de cultiver en pots de petits arbres comme les cytises (*Laburnum*) ou quelques érables (*Acer*).

ROSIERS POUR TERRASSES

La plupart des roses tiennent bien en pot, mais pousseront mieux dans un massif surélevé ou inclus à la terrasse. Il existe cependant des variétés destinées à la culture sur terrasse – ce sont des variétés naines ou des floribunda très compactes, dont les fleurs sont en bouquets serrés. 'Sweet Dream' et 'Top Marks' sont excellentes, mais vous en trouverez de nombreuses autres.

Les rosiers pour terrasses viennent mieux dans des massifs, mais s'acclimateront relativement bien dans un conteneur. Ici 'Top Marks' est une des variétés les plus appréciées des producteurs professionnels.

PLANTES DE PARTERRES À SUCCÈS

Vous pouvez, selon votre convenance, garnir votre terrasse d'un grand nombre de potées fleuries. Les pélargoniums sont les plus prisés, car ils évoquent la Méditerranée, se plaisent au soleil et s'accommodent d'arrosages moins fréquents que d'autres plantes. Les impatiens sont également très appréciées grâce à leur floraison de longue durée, aussi bien à l'ombre qu'au soleil. Les hybrides de

Les pélargoniums grimpants, avec leurs fleurs éclatantes, sont aussi spectaculaires dans les jardinières que les paniers suspendus. Ce sont d'excellentes plantes pour les conteneurs car elles supportent mieux la sécheresse que d'autres.

Nouvelle-Guinée, aux fleurs plus grosses et au feuillage parfois panaché, méritent une place de choix sur votre terrasse.

VIVACES NON RUSTIQUES INTÉRESSANTES

Il est toujours intéressant d'introduire dans vos plantations des vivaces non rustiques, à distinguer des annuelles obtenues par semis. Il faut les multiplier de façon végétative et les conserver à l'abri du gel pendant l'hiver, sinon vous devrez vous en procurer de nouvelles tous les ans. Les fuchsias sont de bons exemples, mais vous pouvez essayer certaines de ces lumineuses marguerites qui évoquent immédiatement les climats chauds. Argyranthemum, venidioarctotis et osteospermum sont de bons exemples, très florifères.

UNE TOUCHE D'EXOTISME

Dans les régions où les gels sont fréquents, une terrasse abritée ou un balcon peuvent fournir

Argyranthemum frutescens est probablement plus connu sous le nom de *Chrysanthemum frutescens*. Les variétés sont nombreuses dans des tons de jaune, rose ou blanc, et toutes sont très florifères. Celle-ci est une 'Sharpitor'.

un environnement adapté à des plantes plus souvent cultivées dans une serre ou une véranda. Les coleus s'obtenant facilement par semis, vous pouvez vous en débarrasser en fin d'été. Essayez de disposer vos plantes d'intérieur sur la terrasse pendant l'été, en les acclimatant progressivement.

Les coleus sont le plus souvent cultivés en pots, mais ils poussent aussi très bien au jardin en été. Les semis sont faciles, commencez à les faire pousser à la chaleur dès février-mars.

L'INFLUENCE JAPONAISE

Des règles strictes président à la conception d'un authentique
jardin japonais, où chaque élément a une valeur symbolique souvent
inconnue des Occidentaux. Rien ne nous empêche toutefois
d'apprécier le style et les raffinements esthétiques, ni d'intégrer
quelques éléments japonais, même s'ils ne revêtent pas toute
la signification qu'ils auraient dans leur véritable contexte.

Les jardins doivent s'adapter à l'environnement et à la tradition
des régions où ils sont implantés. Dans nos jardins occidentaux,
nous pouvons cependant tout à fait concevoir une partie « à la japonaise »
ou intégrer des éléments décoratifs caractéristiques ; la plupart
des lanternes votives, par exemple, sont utilisées sans référence
à leur caractère symbolique, mais uniquement pour leur effet
ornemental. Même si vous n'êtes pas décidé à transformer l'ensemble
de votre jardin, une touche japonaise y apportera harmonie et élégance,
et vous pourrez goûter à la sérénité d'une atmosphère apaisante.

❦ CI-DESSUS
Il suffit d'un simple élément décoratif comme celui-ci pour évoquer la culture japonaise.

❦ PAGE DE GAUCHE
Une interprétation occidentale du style japonais avec l'emploi de plantes et d'éléments.

Quelques idées

Vous pouvez introduire une touche japonaise à votre jardin sous diverses formes, sans pour autant le redessiner entièrement à l'orientale.

Une clôture en bambous, des fontaines ou des lanternes soigneusement positionnées suffisent à créer une atmosphère.

❧ PAGE DE GAUCHE

L'espace situé sur le côté d'une maison de ville est souvent négligé car il paraît difficile d'y cultiver des plantes, et les possibilités d'un design fort sont très limitées. Celui-ci montre comment utiliser des éléments japonais dans un endroit peu engageant. Notez l'utilisation d'écrans de bambous ou de roseaux qui contribuent à accentuer le style.

❧ CI-DESSOUS

L'influence japonaise est évidente avec l'utilisation de l'eau, mais ce jardin est un hybride, d'un style plus occidental. C'est un parti pris plus facile à appliquer qu'une interprétation stricte du style japonais.

❧ CI-DESSOUS

L'entretien est réduit au minimum dans ce jardin où il suffit de tailler les dômes deux ou trois fois l'an, mais l'effet est aussi saisissant que s'il était rempli de fleurs. Ce véritable jardin japonais peut ne pas être du goût de certains jardiniers, davantage habitués à un arc-en-ciel de couleurs et à une profusion d'espèces, mais sa finalité n'est pas la même.

QUELQUES IDÉES

À l'austérité des jardins japonais, certains préfèrent la verdure et les floraisons éclatantes. Toutefois, comme l'illustrent les photographies suivantes, le recours à des matériaux naturels assure un style dépouillé, ne nécessitant souvent qu'un minimum d'entretien.

❦ CI-CONTRE

Voici un jardin typique où quelques traits caractéristiques japonais se marient à des éléments occidentaux, sans essayer de suivre fidèlement la philosophie des jardins japonais. Chaque jardin peut s'inspirer de différents styles pour refléter les goûts de son propriétaire.

❦ CI-DESSOUS

Dans un petit jardin, ou un jardin de ville, vous pouvez réaliser quelques aménagements avec des éléments japonais. Un mur blanc en arrière-plan accentue l'effet recherché et une clôture en bambous remplace avantageusement celle en bois qui était probablement en place avant la transformation.

❦ PAGE DE GAUCHE

Conçu très loin du Japon, ce jardin reflète pourtant une forte influence orientale. Les clôtures auraient pu rompre l'atmosphère si elles n'avaient été remplacées par des écrans de roseaux, dont l'uniformité met en valeur les différents éléments.

Conseils pratiques

LA MAGIE DES LANTERNES

Vous n'avez pas besoin d'être spécialisé dans l'étude des jardins japonais pour utiliser et apprécier de nombreux éléments associés à ce style. Les lanternes votives en sont de parfaits exemples, et il est inutile de leur chercher une signification si leur côté décoratif vous plaît. Il est possible de se les procurer dans certaines jardineries ou encore par l'intermédiaire de catalogues de vente par correspondance.

Les lanternes votives sont utilisées très couramment dans les jardins occidentaux à titre essentiellement décoratif. Au Japon, chaque type a une signification particulière, et leur disposition n'est jamais faite au hasard. Dans votre jardin, placez-les là où elles seront à leur avantage.

❧ CI-CONTRE

EMPLACEMENT Tirez le meilleur parti des allées sinueuses dans un grand jardin en plaçant des lanternes qui guident vos pas. Au Japon, elles éclairent le chemin vers une cérémonie de thé traditionnelle ou elles attirent l'attention sur une scène.

SUGGESTIONS *De petits érables japonais et un sol couvert de mousse renforceront l'ambiance orientale. Évitez des plantes sans rapport au jardin traditionnel japonais.*

❧ EN BAS

LANTERNES EN FORME DE PAGODES Les lanternes « Kasuga », dont le sommet évoque une pagode, portent le nom d'un sanctuaire situé à Nara au Japon. Leurs dimensions font qu'elles peuvent devenir un centre d'intérêt particulier dans le jardin.

SUGGESTIONS *Placez cette lanterne au bord d'une mare, afin qu'elle s'y reflète.*

❧ PAGE DE GAUCHE, EN HAUT

LANTERNES SUR SOCLES Les lanternes de style « Rankei » sont soutenues par des socles en arc de cercle, pour que la lumière se reflète plus largement à la surface de l'eau.

SUGGESTIONS *Choisissez soigneusement l'emplacement de la lanterne pour qu'elle soit agréable à regarder de près, qu'elle soit visible d'autres points du jardin et qu'elle se détache bien de la surface de l'eau.*

❧ PAGE DE GAUCHE, EN BAS

DES LANTERNES DANS LA NEIGE Les lanternes « Yukimi-doro » sont souvent placées à proximité d'un point d'eau, car quand la neige recouvre la partie supérieure et que la lumière intérieure se reflète dans l'eau, l'effet est superbe. Le toit de ces lanternes représente la forme d'un chapeau de fermier japonais. Elles étaient traditionnellement placées près des ponts pour éclairer le chemin.

SUGGESTIONS *Les lanternes, les ponts, l'eau, les rochers et le gravier sont des éléments essentiels des jardins japonais. Si l'espace est limité, essayez de les regrouper de façon judicieuse, en respectant un certain équilibre.*

ACHAT ET MISE EN PLACE DES LANTERNES

Les lanternes de bonne qualité, en granit, sont chères et lourdes à manipuler. Renseignez-vous auprès de fournisseurs spécialisés, réfléchissez avant de les choisir, et prenez en considération leur emplacement définitif.

Les vraies lanternes japonaises sont lourdes et le plus souvent importées du Japon. Pour le transport par bateau, elles sont démontées, elles doivent donc être assemblées solidement à la mise en place ; suivez les conseils du fournisseur.

Les versions en pierre reconstituée sont plus abordables, et font illusion quand on les voit à distance, sur le bord d'un point d'eau.

Il existe aussi des reproductions en résine, très fidèles et d'un coût tout à fait raisonnable.

Les lanternes doivent occuper certains points stratégiques, notamment par rapport à la maison ; votre fournisseur devrait pouvoir vous conseiller si vous voulez vraiment concevoir un jardin à la japonaise.

Conseils pratiques

L'EAU DANS UN JARDIN JAPONAIS

Étangs, bassins et cours d'eau sont les constituants indispensables des grands jardins japonais. Cependant, il est possible d'intégrer l'eau sous de nombreuses autres formes, même si votre jardin n'est que de taille modeste.

✿ CI-CONTRE

LES PRÉSENTOIRS Vous pouvez facilement donner un air oriental à votre bassin, grâce à quelques ponts ou quelques rochers. Ici, deux bonsaïs sont présentés sur une plate-forme qui rappelle les matériaux et le style du pont et apporte la touche indispensable à une ambiance japonaise.

SUGGESTIONS *Utilisez des rochers sur le pourtour du bassin, mais aussi au milieu de l'eau. Essayez de les recouvrir de mousse et disposez éventuellement un bonsaï dans un creux bien situé. Prenez garde de ne pas percer la toile en plastique, utilisez des chutes pour y déposer le rocher, et n'oubliez pas que, bien qu'entouré d'eau, votre bonsaï a besoin d'être arrosé.*

✿ CI-CONTRE

LES FONTAINES
Les fontaines sont l'essence même d'un jardin japonais, et leur petite taille permet de les placer dans n'importe quel jardin. La tradition veut que l'eau arrive à travers un bambou.

SUGGESTIONS *Évitez de surélever le bassin plus haut que ne le conseille le fabricant. Son emplacement est traditionnellement bas pour que l'on s'incline dans un geste d'humilité avant le rituel qui précède la cérémonie du thé.*

⚘ CI-CONTRE

LES PONTS L'eau est un excellent prétexte à la mise en place d'un superbe pont japonais, traditionnellement rouge vif. Ce sont de véritables centres d'intérêt, qui de plus se reflètent joliment dans l'eau.

SUGGESTIONS Vous pouvez fabriquer ou acheter un pont. Il doit bien évidemment enjamber la partie la plus étroite du bassin ou du cours d'eau. Si besoin, faites une petite retenue juste après le pont, pour donner l'impression que l'eau continue de couler au-delà.

LES POMPES

....

Pour les petits points d'eau, il suffit d'un débit très faible. Il est facile de dissimuler dans un petit réservoir en dessous de ce point d'eau, une pompe basse tension – c'est un achat peu onéreux. L'eau, en circuit fermé, peut ruisseler entre des galets posés sur un grillage résistant.

**⚘ CI-CONTRE
ÉLÉMENTS
DÉCORATIFS**
Cet oiseau est l'attraction de ce grand bassin. Les décorations doivent être simples, mais surprenantes, et être en harmonie avec ce qui les entoure.

SUGGESTIONS
N'abusez pas des éléments décoratifs dans le jardin. Quelques-uns, parfaitement choisis, ont plus d'effet qu'un grand nombre sans intérêt.

Conseils pratiques

ROCHERS ET PIERRES

Depuis toujours, les Japonais ont une relation privilégiée avec la pierre. Ce symbole de longévité est un élément majeur dans leurs paysages. Il est possible de concevoir un jardin japonais sans rochers, mais ce serait dommage de ne pas inclure ce matériau plein d'attrait.

❦ CI-DESSOUS
CHOISIR LES ROCHERS Prenez en compte la couleur, la texture et la taille des rochers. Ici, leurs surfaces et leurs dimensions variées donnent à cette berge de ruisseau un aspect naturel.

SUGGESTIONS *L'agencement non ordonné des rochers, des galets et des plantes aquatiques, crée une composition naturelle.*

❦ CI-DESSUS
ROCHERS DE GRANDE TAILLE Deux gros rochers ont transformé un coin terne de ce jardin japonais. Que vous les considériez comme symboles ou éléments décoratifs, ils attirent le regard et sont une structure forte dans cette partie du jardin qui sans eux passerait inaperçue.

SUGGESTIONS *De tels rochers sont difficiles à déplacer. Pour éviter trop de manipulations, faites plusieurs croquis avec des emplacements différents. Procédez à la mise en place uniquement après avoir fixé votre choix.*

❧ **CI-DESSOUS**
JEUX D'EAU L'eau pompée arrive à travers un rocher percé. Son ruissellement doux à la surface est relaxant et rafraîchissant, surtout par temps chaud. En plaçant quelques rochers plus petits, entourés de galets et de gravier, vous pourrez évoquer le paysage d'une île volcanique.

SUGGESTIONS Ce type d'élément peut être largement utilisé dans un jardin japonais mais aussi représenter un intéressant point d'eau dans un jardin d'un autre style, par exemple en un coin manquant d'intérêt ou aride.

❧ **CI-DESSUS**
LES SENTIERS Les rochers qui comportent une face plate servent parfois de chemin, sur une pelouse ou au milieu de l'eau. Ce chemin vous mène à travers le jardin, il est donc important de choisir l'espacement et le positionnement des pierres en fonction de votre pas.

SUGGESTIONS En rapprochant les pierres, vous ralentissez le pas, en les espaçant, vous l'accélérez. Vous pouvez choisir des espacements différents en fonction des endroits du jardin qui présentent plus ou moins d'intérêt.

L'ACHAT DE PIERRES ET DE ROCHERS

Dans les jardineries ou les magasins de bricolage, vous ne trouverez qu'un choix limité de pierres et rochers. Cherchez dans l'annuaire les marchands de pierres, pour une sélection plus étendue. Seule une carrière peut vous fournir un rocher de taille imposante, et il est préférable d'aller le choisir sur place. Pensez au poids et aux frais de transport que cela implique, et sélectionnez une pierre locale de préférence à une pierre provenant d'une autre région.

Conseils pratiques

SABLE ET GRAVIER

La religion zen, qui trouve ses origines dans le bouddhisme, a donné naissance a un style de jardins particuliers, où la pierre est l'élément majeur dans un paysage aride. C'est une forme de jardinage fascinante, et il existe de nombreux ouvrages sur ce sujet. Vous pouvez bien sûr intégrer quelques éléments zen, sans connaître toute leur symbolique.

❦ CI-CONTRE

GRAVIER OU CERCLES DE SABLE Les longues lignes droites de gravier ou de sable ratissé symbolisent habituellement l'eau dormante, tandis que des lignes ondulantes évoquent l'eau courante. Des cercles concentriques impliquent également une notion de mouvement, comme un tourbillon autour d'une «île».

SUGGESTIONS *Dans un jardin sec, afin d'éviter que le gravier ne se répande dans les massifs, sur la pelouse ou les allées, installez, si possible, des bordures solides légèrement surélevées.*

❦ CI-CONTRE

DES LIGNES DE GRAVIER Dans un espace restreint, du sable ratissé, des rochers et des pierres, et une lanterne composeront un jardin de style japonais. Ici, le pont a un rôle plus esthétique que fonctionnel.

SUGGESTIONS *Évitez l'utilisation de gravier ou de sable ratissé à proximité d'arbres à feuillage caduc. Un aspect soigné sera difficile à maintenir en automne.*

❧ CI-DESSUS

LES COMPLÉMENTS DU GRAVIER Les zones destinées au gravier ou au sable ratissé sont habituellement réduites. Dans ce jardin, le chemin au premier plan est composé de pierres plates arrondies, qui s'accordent bien au paysage à proximité, évoquant un éboulis de montagne.

SUGGESTIONS *Faites attention si le gravier ratissé doit servir de chemin, il suffit de deux traces de pas pour ruiner l'effet recherché. Ici, le problème est résolu par une zone pavée latérale qui permet de circuler et forme un agréable contraste.*

❧ CI-CONTRE

DES PONTS SANS EAU On peut construire des ponts dans un jardin sec, où sont symbolisées cascades et rivières.

SUGGESTIONS *Les jardins arides sont étonnants, mais paraissent un peu incongrus aux yeux des Occidentaux. Un arrière-plan de verdure adoucit l'ensemble.*

Conception et réalisation
UNE NOTE ORIENTALE

Il est difficile de créer un jardin de style authentiquement japonais en Occident, et de l'intégrer à son proche environnement.

Parmi les plans qui suivent, l'influence japonaise, très présente, se marie harmonieusement avec le style occidental.

CONCEPTION

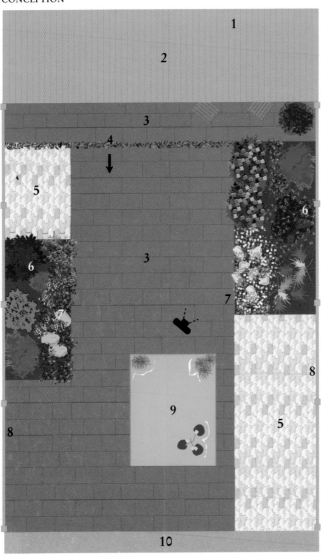

LÉGENDES DU PLAN

1 Écran de bambous
2 Terrasse couverte dans le style d'une maison de thé japonaise
3 Dallage
4 Marche
5 Pavés de granit
6 Arbustes isolés sur fond de vivaces herbacées
7 Rochers et galets recouverts de mousse
8 Palissade
9 Bassin
10 Maison

↓ sens de la descente des marches

lieu de la prise de vue

Cet exemple est le compromis idéal entre un jardin familial et une forte inspiration japonaise. Dans la plupart des cas, il faut trouver un consensus pour satisfaire les désirs de chaque membre de la famille. Essayez d'imaginer à quoi ressemblera votre jardin en hiver. Une sélection d'arbres et d'arbustes raffinés, comme les rhododendrons et les érables, apportera dynamisme et structure toute l'année.

L'UTILISATION DES GRAMINÉES
Le gravier ou des zones empierrées dans les massifs mettent bien en valeur les graminées et les bambous. Il en existe de nombreuses variétés, intéressantes pour leurs différentes formes et couleurs. Essayez des associations contrastées.

RÉALISATION

PLANTER DES GRAMINÉES

1 Arrosez bien les plantes puis retirez-les des conteneurs pour les planter dans un sol bêché et débarrassé des mauvaises herbes. Si les racines sont compactées et enroulées, démêlez-les avec soin, afin de favoriser la reprise.

2 Certaines graminées poussent vite. Pour limiter le développement d'une graminée envahissante, plantez-la avec son pot. Creusez un trou suffisamment grand pour accueillir le conteneur qui doit avoir des trous de drainage.

3 Plantez normalement les graminées envahissantes en remplissant le conteneur de terre, avec la motte au niveau qui convient. Tassez le sol à la main ou au pied, et ajoutez de la terre si nécessaire.

4 Vérifiez que le bord du pot soit au même niveau que le sol (pas en dessous, car les racines traçantes s'échapperaient). Arrosez copieusement, et dispensez des arrosages réguliers jusqu'à ce que les plantes soient bien établies.

Conception et réalisation
LA PIERRE ET L'EAU

Dans les jardins japonais, l'eau et la pierre sont deux éléments symboliques importants. Ils sont très présents dans la conception de ce modèle, destiné avant tout à la méditation et à la contemplation – il ne s'agit pas ici d'un jardin familial. Cernez précisément vos désirs, et adoptez ce qui vous convient dans ce style.

CONCEPTION

LÉGENDES DU PLAN

1 Plancher en bois
2 Couvre-sol tapissant
3 Île de rochers avec lanterne
4 Nénuphars
5 Bassin
6 Arbuste isolé
7 Arbre isolé
8 Grimpante contre le mur
9 Arbustes nains
10 Lanterne japonaise
11 Gravier ratissé
12 Rochers et bambous
13 Maison

lieu de la prise de vue

Des îlots de rochers associés à une sélection de plantes décorent le gravier ratissé, très largement utilisé dans ce jardin de style japonais. Un usage intensif de l'eau, autre élément visuel et sonore très présent dans ce type de jardin est prévu. Les plantes créent des formes et des textures différentes, et le feuillage prime sur les couleurs. Avant de vous lancer dans la réalisation d'un tel décor, faites une lecture approfondie d'ouvrages sur les jardins japonais et leur symbolisme.

Le gravier ratissé est une solution particulièrement séduisante, mais n'oubliez pas l'entretien que cela implique, après le passage d'enfants, d'un chien ou avec la présence d'oiseaux

RÉALISATION

LA POSITION DES LANTERNES

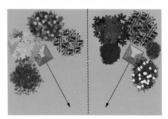

⚜ CI-DESSUS
Dans la plupart des cas, les jardiniers occidentaux positionnent les lanternes suivant des critères esthétiques ; en fait elles doivent être tournées vers un point où leur axe médian rencontre la maison, comme illustré ci-dessus.

LES PARTIES D'UNE LANTERNE

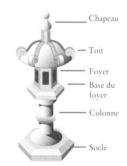

Chapeau

Toit

Foyer

Base du foyer

Colonne

Socle

et d'autres animaux. En automne, ratissage et nettoyage sont plus fréquents avec la chute des feuilles.

⚜ CI-CONTRE
Toutes les lanternes ne disposent pas obligatoirement des six parties décrites ici et celles-ci peuvent porter d'autres noms.

COMPRENDRE LE SYMBOLISME DES LANTERNES
Les lanternes japonaises sont fascinantes à étudier dans les ouvrages spécialisés ou dans les catalogues de certains fournisseurs. Leurs formes et leurs fonctions trouvent leurs origines dans des traditions et des usages très anciens, c'est pourquoi il est intéressant de connaître la signification de certains termes de base, de même que les différentes parties qui les composent, la diversité des styles et comment positionner une lanterne par rapport à la maison.

RECONNAÎTRE LES DIFFÉRENTS STYLES DE LANTERNES

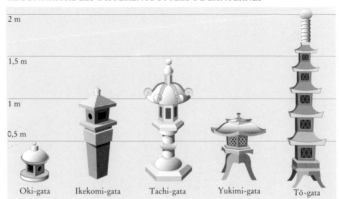

2 m

1,5 m

1 m

0,5 m

Oki-gata   Ikekomi-gata   Tachi-gata   Yukimi-gata   Tō-gata

Conception et réalisation
UN JARDIN D'ÉLÉMENTS

La pierre, l'eau et le bois : ces trois éléments naturels ont un rôle symbolique très important dans un jardin japonais et contribuent à lui donner une certaine authenticité.

CONCEPTION

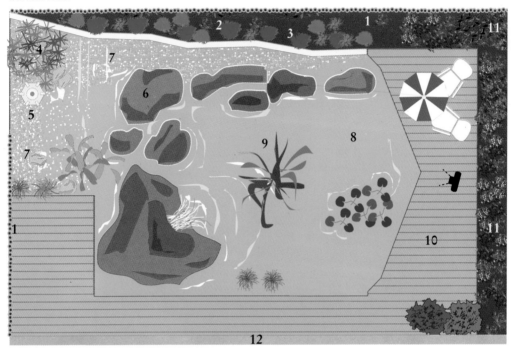

Dans les jardins japonais, l'eau, les rochers et le gravier sont intimement liés aux plantes et de ce fait, on prévoit davantage de points de vue que de coins repos nichés dans la verdure. Les planchers sont discrets ; ils sont utilisés ici sur trois côtés, afin de se détendre tout en profitant d'une jolie vue.

La réalisation d'un point d'eau tel que celui-ci, où se côtoient rectangles, courbes et rochers placés au centre du bassin, n'est pas chose aisée pour un amateur. Il est préférable de faire appel à un professionnel, d'une part à cause de la taille et de la complexité de la construction et d'autre part pour la mise en place des rochers très lourds.

LE CHOIX DU PLANCHER
La réalisation de planchers compliqués, avec plusieurs changements de niveau, ou avec, comme ici, une projection au-dessus de l'eau, n'est envisageable qu'en faisant appel à des gens compétents. N'hésitez pas à consulter des professionnels spécialisés dans ce domaine.

LÉGENDES DU PLAN

1 Écran de bambous
2 Grimpantes
3 Plantes au port arrondi
4 Bambous
5 Lanterne japonaise
6 Rochers
7 Galets et gravier
8 Bassin
9 Iris d'eau
10 Plancher en bois
11 Arbustes nains
12 Maison

lieu de la prise de vue

RÉALISATION

LA CONSTRUCTION D'UN PLANCHER SIMPLE

1 Nivelez la zone que recouvrira le plancher, puis positionnez des briques ou des parpaings sur lesquels reposeront les supports. Ceux-ci ne doivent pas être en contact avec le sol humide ; ils permettent la circulation de l'air sous le plancher. Si le sol est instable, scellez les briques ou les parpaings dans du béton. Vérifiez qu'ils sont bien de niveau, sinon le plancher ne sera pas stable.

2 Passez une couche de produit protecteur sur les poteaux, faites un montage à blanc pour vérifier d'une part que l'écartement convient et d'autre part que les coupes se situent à l'endroit des supports. Mettez en place un film de plastique résistant afin d'éviter l'apparition des mauvaises herbes. L'eau s'évacuera à l'endroit des recouvrements.

3 Placez un plastique étanche entre les supports et les poteaux, et assurez-vous que les joints sont à l'aplomb de ces supports. Taillez les lattes à la dimension voulue et enduisez-les d'un produit protecteur. Fixez-les dans les montants avec des clous galvanisés, et laissez un espace d'environ 6 mm entre chaque latte, pour la dilatation du bois et l'écoulement de l'eau.

Conception et réalisation

CAMAÏEUX DE GRIS ET DE VERT

Les jardins de style japonais ne cessent de nous étonner, mais toujours avec une grande subtilité. L'association discrète des différents tons de gris des rochers de granit, des galets et du gravier compose une toile de fond étonnante pour les multiples nuances vertes des feuillages.

CONCEPTION

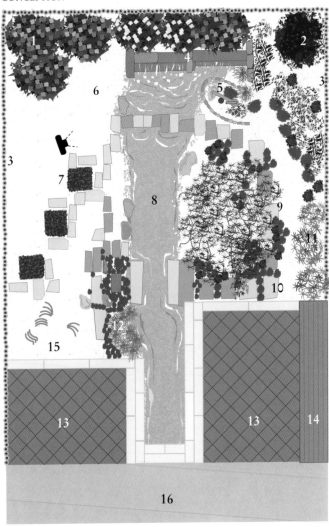

L'eau et la pierre sont, comme toujours, très présents dans ce jardin. Le ruisseau, qui court sur toute la longueur, tient le rôle principal et confère une unité à l'ensemble. Il contribue à maintenir le regard à l'intérieur du jardin et l'aspect ouvert et ordonné engendre une impression d'espace dans ce lieu plutôt restreint. Grâce à ces qualités, le style japonais convient à des jardins de toutes tailles, même minuscules.

Ce type de plan fonctionne si les matériaux choisis sont appropriés au lieu. De plus, en raison de la complexité et du coût des travaux, il est préférable de faire appel à des professionnels, ou du moins de prendre l'avis d'un fournisseur spécialisé.

RÉALISATION

▪ CI-CONTRE

UNE MAISON DE THÉ FACILE À RÉA-LISER Cette maison de thé de finition très soignée est l'œuvre d'un amateur ; elle est fabriquée avec quelques chutes de bois et surtout beaucoup d'imagination et d'enthousiasme. Deux treillis faits maison, sur lesquels est fixé un matériau blanc, composent les panneaux latéraux et les autres parois sont faites avec des lattes de récupération. Des rouleaux de roseau tressé garnissent l'intérieur, le rendant ainsi plus esthétique et plus clair. Des lattes de clôtures aux bords biseautés, assemblées à clins, forment le toit, et un revêtement de zinc sur le faîtage en assure l'étanchéité. Comme le vent peut s'engouffrer dans cette construction sans portes, les poteaux verticaux doivent être bien ancrés au sol. Le siège est entièrement fabriqué à partir de traverses de chemin de fer. La lasure noire qui protège le bois assure une finition plus professionnelle. Ce type de réalisation est très intéressant pour un bricoleur passionné, sachant que les détails de la construction sont tributaires des matériaux disponibles.

Conception et réalisation

NATURE ET JARDIN CONFONDUS

Les jardins japonais reflètent souvent la nature et ses forces symboliques, mais ils sont aussi traditionnellement dessinés pour bénéficier d'un point de vue à partir d'un endroit spécialement étudié, comme par exemple une fontaine près de laquelle on s'incline. Cet exemple de jardin se fond presque imperceptiblement avec la nature. Toute l'attention se concentre sur le grand bassin central, auquel seul un entretien régulier conservera un aspect soigné.

CONCEPTION

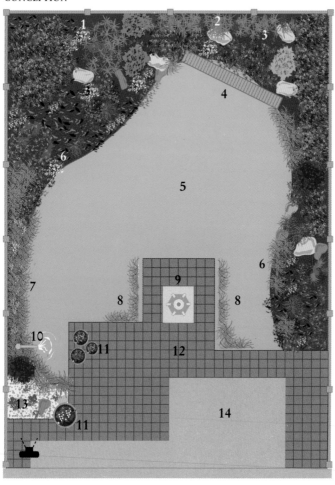

Ce jardin s'harmonise parfaitement avec le paysage, mais les montagnes à l'arrière-plan sont en Suisse et non pas au Japon. Il est facile d'intégrer ce type de jardin partout où il y a une superbe vue.

L'ensemble du jardin s'articule autour du bassin, dont les berges accueillent de nombreuses plantes pour lieux humides, qui se mélangent à l'arrière-plan avec des graminées et des plantes plus sauvages. Depuis la maison, il n'existe aucune limite précise entre le jardin et la nature.

La partie la plus structurée, avec ses bordures et ses formes rigides, se situe à proximité de la maison et c'est d'ici que l'on profite de la vue spectaculaire, agrémentée par les bruits de la nature voisine, auxquels le jet d'eau ajoute son murmure.

CI-CONTRE

**COMMENT FABRIQUER UN JET D'EAU
EN BAMBOU** Il est facile d'en fabriquer
un. Si vous avez des difficultés à trouver
du bambou de la longueur et de l'épaisseur
souhaitées, achetez le jet d'eau tout fait.

Procurez-vous un petit réservoir en
plastique ou en fibres de verre, et enter-
rez-le dans le sol, légèrement en dessous
de la surface. Placez dans le fond une
pompe basse tension, posée sur une brique pour éviter que le filtre ne se bouche
avec les détritus. Recouvrez le réservoir
d'un grillage résistant et plus grand.

Fixez un morceau de tuyau flexible sur
la sortie de la pompe, suffisamment long
pour traverser le bambou. Creusez celui-
ci si besoin est, et découpez un trou dans
la partie supérieure, assez grand pour
ajuster précisément le bec du jet d'eau.
Attachez l'ensemble solidement avec un
ruban adhésif étanche, puis consolidez

avec un lien noir. Enfilez le tuyau dans le
bec et le bambou vertical (ne le laissez
pas dépasser du jet d'eau) et raccordez-le
sur la pompe avec un collier « serflex ».

Faites un premier essai en remplissant
le réservoir. Il se peut que vous ayez à
régler le débit ou à changer la valve de sortie sur la pompe – un filet d'eau est plus
efficace qu'un torrent. Assurez-vous que
l'eau ne déborde pas du réservoir : si c'est
le cas, réduisez le débit ou mettez en place
autour du réservoir un liner, avec le bord
couvert, pour renvoyer l'eau à l'intérieur.

Recouvrez entièrement le grillage résistant de galets, en les entassant au pied du
bambou pour qu'il soit plus stable.

Les projections et l'évaporation feront
baisser le niveau de l'eau dans le réservoir, vérifiez-le régulièrement en utilisant
un bâton pour jauger, plutôt que de
déplacer les galets ; la pompe doit toujours être entièrement immergée.

POMPE À EAU

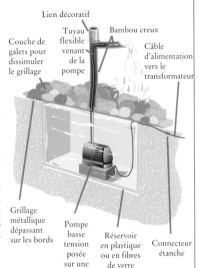

Lien décoratif

Couche de
galets pour
dissimuler
le grillage

Tuyau
flexible
venant
de la
pompe

Bambou creux

Câble
d'alimentation
vers le
transformateur

Grillage
métallique
dépassant
sur les bords

Pompe
basse
tension
posée
sur une
brique

Réservoir
en plastique
ou en fibres
de verre

Connecteur
étanche

RÉALISATION

Conception et réalisation

LES FORCES DE LA NATURE

Tous les jardins orientaux ne reflètent pas le calme et la sérénité. Dans celui-ci, les berges rocheuses et l'eau tumultueuse comme un torrent de montagne donnent l'impression de se trouver dans un milieu naturel sauvage.

LÉGENDES DU PLAN

1 Treillages décoratifs
2 Touffe de bambous
3 Arbustes et érables japonais
4 Lanterne japonaise
5 Berge rocheuse
6 Cascade
7 Banc de pierre
8 Rochers et galets dans le gravier
9 Bassin
10 Gravier
11 Arbustes
12 Passage vers le jardin latéral
13 Sentier pavé dans le gravier
14 Érable japonais
15 Maison

 lieu de la prise de vue

CONCEPTION

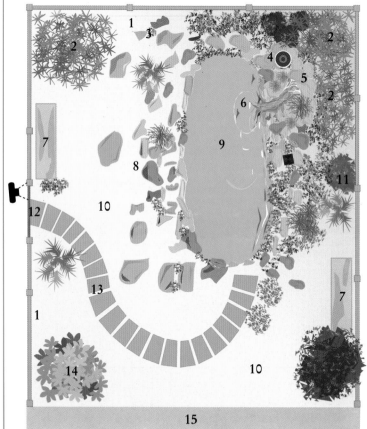

et qui renforcent le thème japonais du jardin. Un grand espace gravillonné apporte une note plus reposante, avec quelques plantations, bien mises en valeur, comme des bambous ou des érables du Japon.

LE LONG DE L'ALLÉE

Dans les jardins japonais, les allées sont plus souvent sinueuses que rectilignes. Les pas japonais trouvent naturellement leur place et règlent l'allure de la promenade à travers le jardin : ils ont infiniment plus de charme que les pavages ordinaires.

Choisissez des dalles de formes irrégulières plutôt que rectangulaires mais, pour des raisons de sécurité, assurez-vous que la surface est plane. Les illustrations suivantes fournissent quelques idées dans ce domaine.

De telles compositions avec les rochers sont coûteuses et complexes à construire, et il paraît difficile de ne pas faire appel à un professionnel. Mais le résultat est surprenant de jour et encore plus saisissant de nuit si les cascades sont éclairées. Dans un bassin de cette taille, il est possible d'avoir de gros poissons comme des carpes, agréables à regarder quand elles viennent manger,

RÉALISATION

PAS JAPONAIS

✿ CI-DESSUS

Des pierres suffisamment plates et régulièrement espacées composent une allée facile à emprunter, mais en fait ces pierres et la courbe qu'elles forment font partie intégrante du plan du jardin et sont beaucoup plus intéressantes qu'une allée strictement fonctionnelle.

✿ CI-DESSUS

Ces pierres, positionnées de façon irrégulière, dominent le sol environnant. Parmi des plantations denses, l'exploration de cette allée devient presque une aventure. Elle évoque une descente de rivière, pleine d'obstacles, aux rives obscures et mystérieuses.

✿ CI-DESSUS

Ce pas japonais conduit agréablement vers un massif de petits arbustes, et traverse un ruban de galets qui fait penser au lit desséché d'une rivière. Cette allée est un raccourci plein de charme vers le bas du jardin.

Sélection de plantes

PLANTES POUR JARDINS JAPONAIS

Donnez à votre jardin un air authentiquement japonais en choisissant des plantes originaires du Japon. Cette partie du monde nous a fourni des spécimens superbes, en très grand nombre. Les illustrations suivantes ne représentent que quelques possibilités végétales disponibles.

GRAMINÉES ET BAMBOUS

Parmi les nombreux bambous originaires de Chine et du Japon, certains sont trop imposants pour de petits jardins. Dans un espace restreint, essayez le bambou doré panaché *Pleioblastus auricomus* (*Pleioblastus viridistriatus* ou *Arundinaria viridistriata*). Parmi les graminées japonaises, il y a plusieurs espèces de *Miscanthus sinensis*.

Pleioblastus auricomus est une très belle plante. Vous la rencontrerez également sous l'appellation *Pleioblastus viridistriatus* ou *Arundinaria viridistriatus*. Ce bambou doré, panaché de vert, est compact et pousse lentement.

ÉRABLES JAPONAIS

De nombreux érables font penser au Japon, mais c'est particulièrement le cas d'*Acer palmatum* et *A. japonicum*. Ces deux espèces se déclinent en de nombreuses variétés. *A. palmatum* est plus approprié car de plus petite taille.

Les variétés d'*Acer palmatum* sont nombreuses ; pratiquement toutes décoratives tout au long de l'année, elles sont surtout spectaculaires en automne.

CONIFÈRES

Parmi les conifères qui évoquent le Japon, *Pinus densiflora* et *P. parviflora* sont de superbes variétés, de même que les genévriers tels que *Juniperus chinensis*.

Les pins ont des ports et des tailles variés, assurez-vous que vous faites le bon choix pour votre jardin japonais. Ci-dessus, *Pinus densiflora* 'Jane Kluis'.

RHODODENDRONS ET CAMÉLIAS

De nombreux rhododendrons (et parmi eux les azalées) et camélias proviennent du Japon ou ont été hybridés dans ce pays. Les variétés sont innombrables, et beaucoup sont excellentes. Ces deux types de plantes réclament un sol acide.

Les rhododendrons et les azalées (qui sont elles-mêmes un type de rhododendron) sont des arbustes japonais très appréciés, disponibles dans de nombreuses pépinières. Un sol acide leur est indispensable. Cette azalée 'Ima-shojo' porte aussi le nom de 'Christmas Cheer'.

COUVRE-SOLS

Les plantes couvre-sols sont largement utilisées au Japon, et plus souvent pour leur feuillage que pour leur floraison. Parmi elles, *Pachysandra terminalis* est typique car il forme un tapis vert d'environ 30 cm de haut. Il en existe aussi une variété panachée. *Ophiopogon planiscapus* 'Nigrescens' est une plante au feuillage linéaire noir, très répandue dans les jardins au Japon.

Les mousses sont des couvre-sols très courants dans les vrais jardins japonais, mais elles sont difficiles à cultiver sous certains climats et peu faciles à se procurer. *Sagina subulata*, portant encore très souvent son ancienne appellation *S. glabra*, est une plante rase, dense, qui de loin ressemble à une mousse. Il en existe une forme dorée *S. subulata* 'Aurea'. Elle supporte le gel mais n'est pas rustique dans les régions froides.

Ophipogon planiscapus 'Nigrescens' est une plante très inhabituelle avec son feuillage presque noir. Il faut la mettre en valeur dans une partie claire du jardin, la planter en grand nombre au pied d'arbustes à fleurs, ou sur un fond de feuillage vert clair.

HOSTAS

Ces plantes universellement appréciées sont très cultivées au Japon, dont certaines espèces sont originaires. Variétés et hybrides sont nombreux et largement diffusés, vous n'aurez que l'embarras du choix pour votre jardin japonais. Ces plantes sont particulièrement décoratives au bord de l'eau.

Les hostas sont très répandus au Japon et offrent une grande diversité de feuillages, dont beaucoup sont joliment panachés. Les limaces en raffolent, protégez-les régulièrement.

IRIS JAPONAIS

Iris ensata est l'iris le plus souvent associé aux jardins d'eau japonais. Les variétés sont nombreuses, toutes avec de belles grandes fleurs qui rappellent certaines clématites.

L'iris japonais s'appelle maintenant *Iris ensata*, mais vous le trouverez encore sous son ancien nom *I. kaempferi*. Cette très jolie variété s'appelle 'Mandarin'.

GRIMPANTES

Si vous devez planter une grimpante, choisissez-en une qui évoque le Japon. La glycine, *Wisteria floribunda*, est sûrement l'une des plus belles.

Pour de splendides couleurs d'automne, plantez *Vitis coignetiae*, aux très grandes feuilles. Cette vigne est d'un bel effet sur un pont, mais sera tout aussi esthétique sur une pergola.

Quand son feuillage vire au cramoisi et à l'écarlate avant l'hiver, *Parthenocissus tricuspidata* est vraiment magnifique, mais réservez cette vigne vierge à ventouses pour un grand mur.

Trachelospermum asiaticum est une grimpante plus inhabituelle; son feuillage persistant et sa floraison parfumée blanc crème apprécient un mur chaud et ensoleillé.

Vitis coignetiae est une grimpante appréciée pour ses grandes feuilles, superbement colorées en automne. C'est une plante vigoureuse que vous pouvez planter au pied d'un arbre. Si besoin est, taillez-la pour limiter sa croissance.

LA PIERRE ET L'EAU

L'eau exerce un attrait quasiment magique, et fascine autant les enfants que les adultes. Si les plus jeunes restent le plus souvent indifférents aux diverses constructions qu'élaborent leurs parents dans le jardin, ils manifestent en revanche toujours beaucoup d'intérêt quand il s'agit de réaliser un bassin. Certaines familles avec de jeunes enfants envisagent toutefois ce projet avec quelque crainte, mais nul n'est besoin de grandes profondeurs pour qu'un jardin se transforme en un lieu vivant et plein de fraîcheur – un ruisselet de quelques centimètres ou une fontaine de galets ne présentent aucun risque. Les fontaines murales sont aussi très décoratives, et celles fonctionnant en circuit fermé avec un réceptacle très peu profond sont sans danger pour les petits.

Les rocailles, souvent associées à un bassin, sont des éléments intéressants dans les jardins ; de plus, elles permettent l'utilisation de nombreuses plantes alpines sur une surface plutôt restreinte. Un terrain en pente est parfaitement adapté à des installations rocheuses que bassins ou cours d'eau mettront davantage en valeur. Le sol creusé pour le bassin peut servir à former des berges surélevées, mais recouvrez toujours la couche inférieure par la couche arable, sinon vos plantes dépériront.

✻ CI-DESSUS
Un simple pot, garni de galets, attire tout de suite le regard.

✻ PAGE DE GAUCHE
Ce jardin de ville repose dans une calme luxuriance, uniquement suggérée
par un petit bassin, garni de quelques plantes aquatiques comme le superbe
Aponogeton distachyos, et entouré d'*Iris sibirica* et de potées d'hostas.

QUELQUES IDÉES

Faites en sorte que bassins et « cours d'eau » soient au centre de votre projet de jardin. Ils attirent une faune diversifiée, et vous pouvez bien sûr y introduire des poissons, qui s'apprivoisent facilement en les nourrissant régulièrement pendant les mois d'été.

ⓦ CI-DESSUS

Vous pouvez construire un bassin rectangulaire surélevé, de style formel, en briques ou en parpaings, recouverts d'enduits intérieur et extérieur. Vous n'obtiendrez une parfaite étanchéité qu'avec une résine ou un produit bitumé, en vente chez des fournisseurs spécialisés. Vous pouvez aussi peindre l'enduit extérieur de couleur claire, ou même de motifs plus décoratifs. Les bassins surélevés sont appréciables pour les personnes handicapées ou celles qui éprouvent quelque peine à se baisser, car ils permettent une meilleure observation de la vie aquatique.

⚘ CI-DESSUS

Imaginez cet espace avec une pelouse ordinaire, flanquée de deux massifs sur les côtés : agréable, mais un peu ennuyeux, il ne semblerait pas avoir été réellement pensé. Un bassin seul aurait tout autant manqué d'attrait, par manque de relief, et en hiver il aurait été terne et sans charme. Au contraire, le fait d'avoir placé le bassin dans un espace circulaire plus grand, bordé de massifs en croissants, d'allées et de galets, structure très fortement cette partie du jardin. Les galets relient subtilement les massifs et le bassin, et la plage qui descend dans l'eau facilite l'accès à la faune.

⚘ CI-CONTRE

L'eau de cette fontaine provient directement d'un réservoir dissimulé par cette meule et les rochers autour ; une grille résistante soutient l'ensemble, écartant tout risque, même pour les jeunes enfants. Ces véritables pierres de meule sont peu utilisées, à cause de leur poids, leur coût et leur rareté, mais il existe des imitations assez convaincantes en résine. Vous pouvez parfois les acheter en kit avec le réservoir, et il ne vous reste plus qu'à trouver des rochers et des galets.

Ces installations procurent un décor agréable au milieu des plantations, mais elles seront beaucoup plus esthétiques dans une cour ou une atmosphère plus minérale, comme ici.

QUELQUES IDÉES

L'eau et la pierre sont de parfaits instruments pour les jardiniers amateurs de lignes fortes et audacieuses. Elles permettent également l'utilisation d'un grand choix de plantes aquatiques ou semi-aquatiques colorées.

CI-DESSOUS

Ce jardin de style japonais est une étude de formes et de textures fortes, avec uniquement l'eau et l'ardoise. Ce type de création séduira davantage une personne qui a un certain sens du design, plutôt qu'un passionné de plantes. On ne trouve ici que deux espèces aquatiques, le nénuphar et la jacinthe d'eau *(Eichhornia crassipes)*, qui toutes les deux disparaissent en hiver.

❧ CI-CONTRE
Les bassins de style formel sont agréables, mais l'eau peut être intégrée de façon plus naturelle. La forme et la densité des plantations au bord de ce bassin donnent l'impression qu'il fait partie du paysage. La proximité de la clôture ne nuit pas car le pont laisse penser que l'eau continue de couler beaucoup plus loin. Les ponts attirent toujours l'attention, et invitent souvent les visiteurs à les franchir pour explorer l'autre rive. Bassins et « cours d'eau » sont d'excellents prétextes à la construction d'un pont.

❧ CI-CONTRE
Un bassin ne trouve pas toujours sa place dans un jardin, mais une petite fontaine comme celle-ci le remplace avantageusement. Son réceptacle circulaire fait écho à d'autres courbes, et reflète clairement un plan soigneusement conçu.

Conseils pratiques
UNE PERFECTION FORMELLE

S'il est préférable d'inclure un bassin dans le plan initial d'un jardin, il est néanmoins possible de l'ajouter à un jardin déjà structuré. L'addition de rocailles est plus problématique et leur intégration dans le projet original est fortement conseillée.

Si vous voulez des poissons et des fleurs dans votre plan d'eau, choisissez un emplacement qui bénéficie d'un bon ensoleillement, et dégagé des arbres à feuillage caduque, sauf si vous envisagez de poser un filet en surface ou d'éliminer régulièrement les feuilles afin d'éviter la pollution de l'eau.

Les bassins aux contours réguliers et aux formes géométriques sont plus adaptés à des jardins dessinés suivant une grille rigide, dont les mêmes lignes traversent le jardin de part en part. Les possibilités sont plus réduites pour les plantations de berges, mais plus nombreuses pour les poissons et les plantes aquatiques.

✿ CI-DESSOUS

RUPTURE DE RYTHME Ce bassin de petite taille attire immédiatement le regard grâce à la géométrie de ses lignes. Dans un environnement minéral, l'eau est un élément majeur, qui en adoucit la sévérité. La fontaine présente un attrait supplémentaire après la disparition des feuillages en hiver.

SUGGESTIONS *Afin d'éviter la monotonie d'une grande surface pavée, utilisez une couleur contrastante pour souligner un détail ou un changement de niveau. Ici, ce sont les briques et la terre cuite qui apportent la note colorée indispensable.*

✿ CI-CONTRE

UNE LONGUEUR FORMELLE Ce jardin très formel, dessiné autour du plan d'eau, est conçu pour un pays chaud ou pour donner l'illusion d'un climat clément. En apportant des variantes adaptées à un jardin de ville, on peut obtenir un résultat étonnant.

SUGGESTIONS *Quand l'eau est l'élément majeur du jardin, prévoyez l'aspect qu'il aura en hiver. En cas de froid rigoureux, il faut stopper les pompes. Pour mettre en valeur une surface gelée, vous pouvez disposer des persistants et de nombreux pots décoratifs ou autres ornements.*

❧ CI-DESSOUS

DES FORMES ORIGINALES Un bassin est réalisable, même dans un petit jardin ; dans celui-ci, le tracé original et les plantations de caractère apporteront un intérêt toute l'année. La plate-forme surélevée relie les deux parties du jardin au lieu de les séparer.

SUGGESTIONS Si vous trouvez le gravier décoratif, mais craignez qu'il ne s'éparpille sur une allée fréquemment utilisée, remplacez-le par du gravier enrobé, comme celui-ci. Les petits cailloux sont enrobés d'une résine et l'aspect final est aussi esthétique qu'avec du gravier traditionnel.

❧ CI-DESSUS

LES CASCADES Un jardin aménagé sur une pente douce permet l'installation de cascades ou de chutes, et dans celui-ci la cascade qui se déverse dans un bassin rectangulaire reflète le plan d'ensemble animé de lignes et d'angles droits.

SUGGESTIONS La forme du bassin doit s'accorder au style du jardin. Dans celui-ci, où dominent les lignes droites, un bassin plus naturel aux lignes courbes et fluides, comportant des plages pour attirer la faune, paraîtrait incongru.

LES BASSINS RECTANGULAIRES

Vous pouvez creuser un bassin rectangulaire et le doubler d'un liner en plastique en dissimulant les plis formés aux coins par des plantations. Il est possible de faire fabriquer des caissons étanches par des spécialistes, ou de passer un enduit sur un bassin construit en béton ou en parpaings et de l'étanchéifier avec une résine ou un produit bitumé destiné à cet usage.

Conseils pratiques
UN STYLE PLUS VRAI QUE NATURE

Les bassins de style naturel sont faciles à construire et attirent facilement la faune car l'eau est plus accessible et les plantations environnantes procurent un abri utile. Ces bassins permettent aussi l'aménagement d'une zone marécageuse sur les bords.

⚘ CI-CONTRE UN BASSIN NATUREL
Ce jardin, au style naturel, a été bien pensé et conçu, impression renforcée par la présence du pont et du treillage. Les contours irréguliers et les pierres donnent l'impression d'un plan d'eau situé en pleine nature et les plantations luxuriantes dissimulent les jardins voisins.

SUGGESTIONS
Ce bassin fait paraître le jardin plus grand. L'accès sur différents côtés et le pont qui relie des chemins incitent à la découverte.

⚘ CI-CONTRE
DES GALETS Il est très facile de créer ce type de ruisseau d'aspect si naturel. Il suffit d'un liner dont vous dissimulez les bords sous une plage de galets. Avec ce type de revêtement, la baisse du niveau de l'eau causée par l'évaporation ne se remarque pas. L'eau doit couler dans une partie plus profonde à l'extrémité, pour que la pompe reste toujours immergée.

SUGGESTIONS *Si vous voulez introduire un point d'eau dans votre jardin, ne prévoyez pas obligatoirement un bassin rempli de poissons. La réalisation ci-contre donnera à votre jardin un caractère plus sauvage où la faune locale viendra boire et se baigner.*

UNE EAU LIMPIDE

Un beau bassin manque de charme si son eau est verte. Certains plans d'eau ne verdissent que quelques jours ou quelques semaines, habituellement au printemps ou en début d'été, quand l'eau se réchauffe et que les plantes aquatiques ne sont pas assez développées pour obstruer la lumière du soleil. Si l'eau reste verte plus longtemps, un traitement s'impose.

Le verdissement de l'eau est causé par des millions d'algues flottantes qui consomment les éléments nutritifs contenus dans l'eau, et qui se multiplient vite sous la chaleur ou la lumière du soleil. Évitez de placer un sol riche en éléments nutritifs et d'utiliser des engrais ordinaires. Il est possible de contrôler ce phénomène avec des produits chimiques, dont l'efficacité varie suivant leur durée d'action, mais la décomposition des algues mortes peut entraîner la chute du taux d'oxygène – provoquant ainsi la mort des poissons.

La façon la plus satisfaisante de résoudre ce problème consiste à installer un filtre à ultraviolets ; il suffit d'un branchement électrique pour la lampe et la pompe alimentant le circuit d'eau. En choisissant une unité assez puissante pour la capacité de votre bassin, l'eau redeviendra claire en quelques jours.

❧ CI-DESSUS

UN BASSIN ALIMENTÉ PAR UN RUISSEAU Un entretien régulier et la plantation de nombreux nénuphars ont transformé ce plan d'eau, alimenté par un ruisseau, en un décor magnifique. Sur les berges, les plantes présentent un attrait tout au long de l'année, et quelques statues et ornements attirent le regard en hiver quand la végétation a pratiquement disparu.

SUGGESTIONS *Quelques sièges où vous reposer dans un jardin sauvage vous permettront de l'apprécier davantage. Ici, deux coussins de couleurs vives ont transformé un banc ordinaire en siège confortable.*

❧ CI-CONTRE

À PROXIMITÉ DE LA MAISON Ce bassin arrive au ras de la véranda, d'où un plancher le surplombe. De là, il est très agréable d'observer la vie aquatique, à l'intérieur ou à l'extérieur en fonction du temps.

SUGGESTIONS *Choisissez des plantes qui créeront une atmosphère intime. Ici, des plantations denses masquent une route passante.*

Conseils pratiques
DE L'EAU VIVE

Les eaux dormantes apportent calme et tranquillité dans un jardin, mais une certaine animation peut aussi être la bienvenue. Si un ruisseau qui rebondit de pierre en pierre donne un côté sauvage au jardin, une cascade, une fontaine ou un simple jet d'eau introduisent de la même façon une certaine vie. Quel que soit votre choix, l'eau vive deviendra à coup sûr l'un des attraits principaux du jardin.

**❦ CI-CONTRE
UN ESCALIER
D'EAU** C'est un
projet ambitieux à
réaliser, mais qui
captera l'attention.
La construction des
marches en courbe
permet d'utiliser au
mieux l'espace, et
ici, la réalisation est
devenue la pièce
maîtresse du jardin.

SUGGESTIONS
*Ne renoncez pas
à un projet ambitieux
sous prétexte que
vous n'avez aucune
connaissance
technique. Employez
un artisan qualifié
pour faire le travail,
d'après vos plans.*

LE DÉBIT DE L'EAU

L'installation d'une cascade
ou d'une fontaine est complexe,
aussi pensez à choisir une
pompe dont le débit sera
approprié à vos besoins
(ce débit se mesure en litres
par heure). Il faudra savoir
également si cette pompe
sera associée à un filtre ou
assurera l'alimentation d'un
autre point d'eau. Consultez
un spécialiste sérieux, prêt
à échanger la pompe si
celle-ci ne convient pas.
Pour de faibles débits,
une pompe basse tension
suffit, alors que pour de plus
forts, une pompe haute tension
est indispensable.

**❦ CI-CONTRE
UN PETIT JET D'EAU** Sans eau vive, un bassin, même parfaitement dessiné, peut sembler sans intérêt. Un simple jet d'eau suffira
à l'animer, et apportera une douce musicalité dans un petit jardin.

SUGGESTIONS *On manque parfois d'imagination
pour aménager les coins. Un bassin en angle agrémenté
d'un jet d'eau peut aisément tout changer.*

**❦ PAGE DE GAUCHE
UN RUISSEAU EN SOUS-BOIS** Il faut
une grande expérience et beaucoup de
travail pour réaliser un tel ruisseau, de
même qu'une bonne connaissance à la
fois du paysage naturel, des différentes
techniques, et du réglage du débit des
pompes. Une version plus modeste reste
à la portée de tout amateur passionné.

SUGGESTIONS *À moins que votre jardin
ne soit situé sur une pente naturelle,
prévoyez une pente douce pour le ruisseau.
Cela vous évitera de déplacer une grande
quantité de terre et des rochers trop lourds,
et l'effet s'avérera tout aussi spectaculaire.*

**❦ CI-CONTRE
UNE FONTAINE MURALE** Une telle
installation suffit à métamorphoser n'importe quel mur ou courette. Un filet d'eau
réjouit toujours les yeux et les oreilles.
Cette fontaine est particulièrement décorative dans un lieu où rien d'autre n'attire
l'attention.

SUGGESTIONS *Sachez qu'une fontaine
située en hauteur du réceptacle est
beaucoup plus sonore. Dans un petit
espace, ce bruit peut devenir une
nuisance pour vous ou vos voisins.
Il est cependant tout à fait possible de
régler le débit de la plupart des pompes.*

Conseils pratiques
À PROPOS DE ROCHERS

Les compositions rocheuses sont difficiles à intégrer dans le plan d'un jardin, particulièrement sur une surface plane, car elles s'adaptent davantage à un terrain en pente. Mais ne pensez pas qu'aux habituelles rocailles : des rochers saillants dans un massif sont plus faciles à mettre en place dans les jardins plats.

BELLE ROCAILLE EN TOUTES SAISONS

C'est souvent au printemps que les rocailles sont les plus belles, et le reste de l'année, elles paraissent plutôt tristes. Ne vous laissez pas décourager et apprenez à en tirer le meilleur parti. Choisissez des plantes qui fleurissent à diverses saisons, comme des persistants et des bulbes à floraison hivernale ; ainsi votre rocaille sera toujours superbe. En été, garnissez avec des annuelles, même si ce ne sont pas des plantes alpines, mais veillez à ce qu'elles ne se ressèment pas trop facilement, devenant un véritable fléau les années suivantes.

❧ **CI-CONTRE, EN HAUT**
UN MASSIF ROCAILLEUX Il se peut qu'un talus artificiel dans un jardin plat ne fonctionne pas aussi bien que dans cet exemple, notamment s'il est peu élevé et garni uniquement de petites pierres. Ce massif rocailleux, bien proportionné, est un élément déterminant dans le paysage, et les nombreux persistants, ainsi que les bruyères à floraison hivernale, l'agrémentent au fil des saisons.

SUGGESTIONS Afin d'éviter qu'une rocaille n'ait l'air morne en hiver, plantez des persistants et des plantes alpines en assez grand nombre.

❧ **CI-CONTRE**
UNE ROCAILLE EN PENTE Une pente douce comme celle-ci facilite la construction d'une rocaille qui a l'air parfaitement naturelle. Il est possible d'y planter un grand nombre de plantes et elle est idéale pour les amateurs d'alpines. Un sentier parmi les rochers permet d'admirer toutes ces plantes.

SUGGESTIONS Cet effet naturel aurait été gâché si les marches décrivaient une ligne droite. Un sentier sinueux est toujours plus discret et moins fatigant à emprunter.

❧ CI-DESSUS

DES BERGES ROCHEUSES La pierre et l'eau forment toujours une association heureuse, et ici la pierre calcaire, patinée par le temps, est particulièrement belle. Cette réalisation à grande échelle pourrait parfaitement s'adapter à un jardin de taille modeste, en une version plus réduite.

SUGGESTIONS *Suivez les contours naturels du terrain afin d'éviter de trop creuser et remuer la terre.*

❧ CI-CONTRE

UNE ROCAILLE TOUTE SIMPLE Une rocaille de ce type s'intègre dans tous les plans de jardins de style naturel. Il suffit de découper une petite surface de pelouse, et de la planter de façon très dense. Les pierres utilisées sont calcaires et poreuses, et il est possible d'y mettre des plantations.

SUGGESTIONS *Faites en sorte que la hauteur du massif rocailleux soit proportionnelle à sa dimension. Si, comme ici, vous plantez de façon très dense, la hauteur a toutefois moins d'importance.*

Conception et réalisation

DIFFÉRENTS NIVEAUX

Les rocailles sont des solutions souvent adoptées dans la conception de jardins avec une forte pente, sur laquelle des affleurements rocheux paraissent naturels. Si la déclivité est plus douce et l'emplacement peu propice, remplacez une grande rocaille traditionnelle par un massif surélevé parsemé de rochers. Dans ce jardin, un massif de ce type sert à relier la pelouse du niveau supérieur à celle du niveau inférieur.

<table>
<tr><td colspan="2">LÉGENDES DU PLAN</td></tr>
<tr><td>1 Arbre isolé</td><td>13 Pavage en opus incertum</td></tr>
<tr><td>2 Haie</td><td></td></tr>
<tr><td>3 Massif</td><td>14 Petit arbre isolé</td></tr>
<tr><td>4 Arbustes isolés</td><td>15 Marches</td></tr>
<tr><td>5 Bâtiment extérieur</td><td>16 Arbustes nains</td></tr>
<tr><td>6 Pente vers la pelouse du bas</td><td>17 Allée autour de la maison</td></tr>
<tr><td>7 Sentier</td><td>18 Maison</td></tr>
<tr><td>8 Rhododendrons</td><td></td></tr>
<tr><td>9 Pelouse</td><td>← sens de la descente des marches et de la pente</td></tr>
<tr><td>10 Rocaille surélevée</td><td></td></tr>
<tr><td>11 Vers le jardin latéral</td><td>⚑ lieu de la prise de vue</td></tr>
<tr><td>12 Terrasse en opus incertum</td><td>∨ suite du jardin</td></tr>
</table>

CONCEPTION

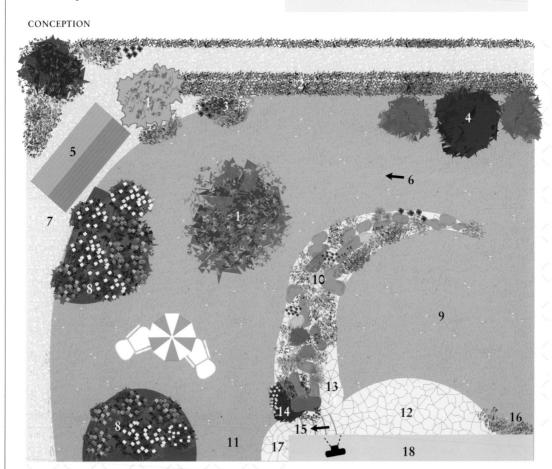

JARDINS EN PENTE

Les pentes, même les plus douces, posent des problèmes d'aménagement. Les terrasses sont dans l'ensemble les solutions les mieux adaptées, malgré un coût élevé et un travail considérable. Quand la différence de niveau est suffisamment faible pour permettre la tonte sans danger, la pelouse reste la meilleure solution. Ici, une surface plane, comprenant une terrasse et une pelouse, a été créée devant la maison, et la pelouse descend doucement vers le massif rocailleux.

Ce type de massif est agréable quand il est bien intégré. Dans ce cas, il sert à diviser le jardin avec une pente plus abrupte sur l'un des côtés.

INSTALLER UN MASSIF ROCAILLEUX

Vous pouvez construire ce genre de massif sur un terrain nivelé ou à l'arrière d'un bassin, en utilisant la terre extraite quand il a été creusé. Dans les deux cas, il faut une terre fertile pour les plantations. Choisissez des rochers en provenance de carrières locales, souvent moins chers et qui s'intègrent mieux à l'environnement.

RÉALISATION

RÉALISER UNE ROCAILLE

1 Avec de la terre, surélevez le niveau du sol. Maintenez toujours un espace dégagé entre le monticule que vous créez et une clôture ou un mur. Veillez à ne pas couvrir de terre une bande hydrofuge proche de constructions en briques.

2 Mélangez en parts égales, de la terre, du gravier grossier et de la tourbe ; étalez l'ensemble uniformément de manière à former un monticule. Posez la première rangée de pierre à la base, en essayant d'aligner les strates.

3 Positionnez la deuxième rangée de pierres, en vous aidant d'un levier pour les déplacer. Assurez-vous que les côtés soient en pente vers l'intérieur, et aplatissez le sommet.

4 Mettez en place les plantes. Procédez par couches en ajoutant le mélange terreux au fur et à mesure, et consolidez-le bien autour des rochers. Pour une jolie finition, déposez une couche de gravier horticole en surface.

Conception et réalisation

THÈMES CIRCULAIRES

Les thèmes circulaires apportent toujours une touche originale et composent des jardins étonnants, même quand les plantations sont réduites au minimum. Dans ce type de jardin, la structure révèle toute son importance ; ici une magnifique cascadé murale en est le centre d'intérêt.

CONCEPTION

Les thèmes circulaires peuvent utiliser des cercles complets, des croissants, des arcs de cercle, qui parfois s'entrecroisent ou se chevauchent. Trois des angles de ce jardin sont occupés de façon symétrique par un quart de cercle ; cependant, trop d'éléments symétriques, comme une deuxième cascade sur le mur opposé, pourraient annuler l'effet.

Malgré le nombre de conteneurs figurant sur le plan, l'entretien est réduit ; ces pots d'annuelles apportent une note colorée suivant la saison.

Le choix du pavage et des briques pour les massifs surélevés est de la plus grande importance dans ce genre de jardin. Ici, les couleurs des briques et du pavage s'harmonisent parfaitement – un choix moins judicieux aurait pu gâché l'ensemble.

RÉALISATION

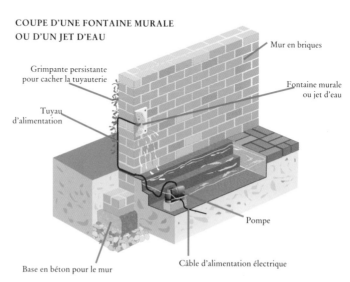

➤ CI-CONTRE

FONTAINES MURALES ET JETS D'EAU

La réalisation de ce type de cascade ne peut être confiée qu'à un professionnel, ou à un amateur très expérimenté. Cependant, rien ne vous empêche de réaliser un projet similaire, aux proportions moins ambitieuses. Il n'est pas nécessaire de disposer d'un mur haut, une chute de 60 à 90 cm produit un son plus agréable qu'un torrent puissant. Pour une construction de petite taille, une pompe basse tension suffit, à condition qu'elle soit équipée d'un régulateur de débit.

Vous pouvez utiliser de la tuyauterie en métal ou en plastique. Toute la difficulté consiste à bien dissimuler les tuyaux. Si c'est possible, creusez un trou dans le mur d'où sortira le tuyau qui aura été monté derrière. Masquez toute tuyauterie inesthétique à l'aide d'une grimpante à feuillage persistant comme le lierre.

COUPE D'UNE FONTAINE MURALE OU D'UN JET D'EAU

Grimpante persistante pour cacher la tuyauterie

Tuyau d'alimentation

Mur en briques

Fontaine murale ou jet d'eau

Pompe

Câble d'alimentation électrique

Base en béton pour le mur

Conception et réalisation
ROMANTISME CLASSIQUE

Avec un peu d'imagination, même dans un espace restreint en ville, vous pouvez donner vie à un jardin faisant référence à un certain classicisme. Vous trouverez les matériaux nécessaires chez des revendeurs spécialisés dans la récupération.

CONCEPTION

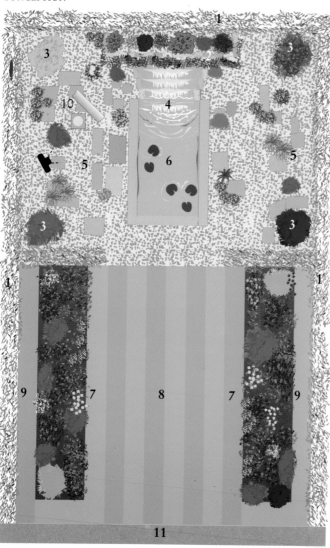

Voici un jardin pour les romantiques, amoureux des jardins traditionnels de style classique. La cascade en escalier en est l'attrait principal et donne le ton avec l'évocation d'une scène romantique. De plus, les matériaux récupérés sur des maisons anciennes confèrent à ce jardin de ville un côté intemporel. Une vieille colonne, qui semble être tombée de son socle depuis de nombreuses années, crée une atmosphère particulière.

Des plates-bandes herbacées à l'ancienne qui bordent la pelouse reflètent un style de jardinage formel qui fut en vogue à une certaine époque, et les haies traditionnelles d'ifs font la liaison entre les deux parties du jardin.

Quand vous optez pour l'utilisation de matériaux de récupération, soyez prêts à adapter vos projets en fonction de ce que vous trouverez.

RÉALISATION

⁂ CI-DESSOUS

LA CONSTRUCTION D'UNE CASCADE EN ESCALIER La méthode retenue pour la construction dépendra des matériaux utilisés et de la taille de la réalisation, mais des principes identiques peuvent s'adapter à un grand nombre d'escaliers.

Après avoir creusé le bassin, formez une pente avec la terre, à un angle qui tient compte de la hauteur de chaque marche. Sur une pente naturelle, il vous suffit de tailler dans la berge, alors que

sur un terrain plat, il faut créer cette pente et compacter le sol.

Mettez dans le bassin le liner en plastique, puis un autre liner sur la pente, en laissant un rabat suffisamment important pour que l'ensemble soit étanche. Placez un feutre sous le liner pour le protéger des petits cailloux, et utilisez une couche supplémentaire de ce liner pendant la construction, car les réparations seraient difficiles à effectuer, une fois les travaux finis.

Pour soutenir le mur en briques, couvrez de béton le fond du bassin après avoir plié plusieurs fois en dessous un reste de liner. Construisez le mur de soutien en briques jusqu'à la hauteur voulue, c'est-à-dire à la base de la première marche.

Cimentez la première marche dans du mortier, et donnez-lui une légère inclinaison vers l'avant. Mettez en place les autres marches de la même façon. Terminez par un petit canal, haut de deux briques, qui alimentera le retour du tuyau. Couvrez-le d'une autre dalle ou pierre.

Vérifiez la position du liner de chaque côté des marches : il doit être coupé aux dimensions exactes, et ses bords si possible rentrés dans le sol. Plantez des persistants en abondance pour dissimuler le tout.

Quand le mortier est complètement sec, mettez la pompe en marche et vérifiez qu'il n'y a pas de fuite. La pompe doit être suffisamment puissante pour assurer un débit rapide sur chaque marche. Demandez conseil à un spécialiste pour le diamètre des tuyaux et les différentes installations. Dans le doute, optez plutôt pour un tuyau plus gros, car il est toujours possible de réduire le débit.

COUPE D'UNE CASCADE EN ESCALIER

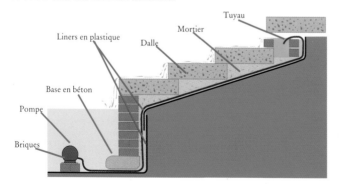

Tuyau

Mortier

Dalle

Liners en plastique

Base en béton

Pompe

Briques

Conception et réalisation

DE LA MODERNITÉ

Lors de la conception de votre jardin, oubliez les bassins et les cascades, et considérez l'eau davantage comme une texture, à l'instar de ce que vous feriez pour une zone pavée ou gravillonnée. Ne craignez pas d'utiliser l'eau de façon imaginative. Ce jardin l'intègre élégamment dans un décor contemporain. En dépit de sa faible quantité, elle est ici l'un des éléments les plus intéressants et les plus créatifs.

LÉGENDES DU PLAN

1 Massif avec arbustes nains et autres plantes
2 Pergola recouverte de grimpantes
3 Dallage
4 Eau
5 Massif surélevé sous la pergola
6 Massif insulaire
7 Pelouse
8 Petits arbres
9 Massif de fougères
10 Plantes de milieu humide dans un massif de galets
11 Marches
12 Bande de gazon
13 Élément décoratif en pierre
14 Maison

↑ sens de la descente des marches

🎥 lieu de la prise de vue

CONCEPTION

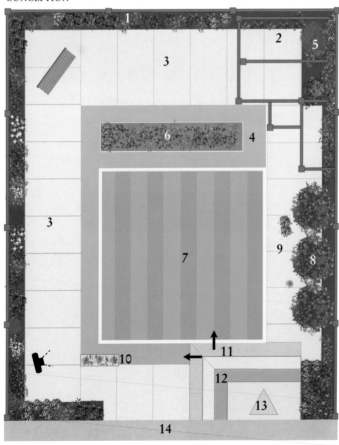

Tirant au mieux parti des formes et des textures, ce jardin plaira sans doute davantage à une personne intéressée par le design qu'à un passionné de plantes. En dehors de la tonte régulière de la pelouse, l'entretien est réduit au minimum. Le rectangle vert au-dessus de l'eau étant le point de mire du jardin, il faut un gazon ras et dense – veillez à ce que l'herbe coupée ne tombe pas dans l'eau.

Un dallage ordinaire, plus économique, aurait pu faire l'affaire, mais le choix d'une pierre naturelle, comme l'ardoise, apporte une note plus sophistiquée et accentue le design. Quand le rôle du pavage est de première importance dans un jardin, consacrez le temps et l'argent nécessaires au choix du matériau qui répondra le mieux à votre attente.

Dans ce cas aussi, n'hésitez pas à vous rendre dans plusieurs carrières, pour expliquer en détail vos besoins. Les professionnels que vous y rencontrerez vous conseilleront pour la sélection et la façon de tailler la pierre.

RÉALISATION

PERGOLA : DIFFÉRENTES OPTIONS
Pour les rosiers grimpants, les pergolas faites de poteaux rustiques sont souvent préférées, mais en terme de design, celles en bois façonné produisent plus d'effet.

Ce type de construction permet de supporter des grimpantes aussi vigoureuses que les glycines. Utilisez un bois préalablement traité et traitez de nouveau toutes les parties découpées avant l'assemblage (évitez les produits à base de créosote si vous comptez planter immédiatement). Fixez les poteaux verticaux solidement, dans du béton ou à l'aide de piquets métalliques à enfoncer dans le sol. Vérifiez les verticales avec un niveau. Assurez-vous que tout s'emboîte parfaitement. L'assemblage des poutres horizontales du dessus se faisant à mi-bois, il faut en clouer les découpes inférieures sur les poteaux verticaux avant de fixer les moitiés supérieures. Il est recommandé d'amorcer les trous quand l'ensemble est encore au sol : percer en hauteur n'est toujours aisé.

Si la pergola est longue, il est nécessaire de raccorder les poutres horizontales au-dessus des poteaux verticaux. Utilisez des clous ou des vis galvanisées.

MISE EN PLACE
D'UN POTEAU

ASSEMBLAGE À MI-BOIS

RACCORD DES POUTRES
À MI-BOIS EN BOUT

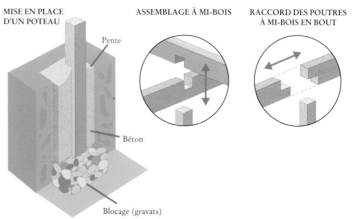

Pente

Béton

Blocage (gravats)

Conception et réalisation
UNE PENTE NATURELLE

Les jardins situés sur une pente douce sont
une opportunité idéale pour des constructions
d'aspect parfaitement naturel, associant
rochers et eau, comme un ruisseau ou une
petite cascade. Vous vous faciliterez la tâche
en suivant les contours du site que vous
devrez prendre en compte dans votre plan.

CONCEPTION

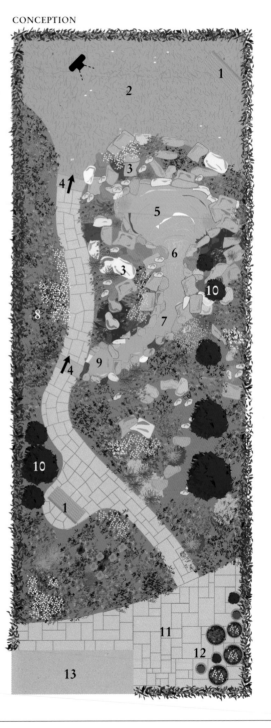

LÉGENDES DU PLAN	
1 Banc de jardin	10 Conifère nain
2 Pelouse	11 Terrasse
3 Rocaille	12 Plantes en
4 Pente et marche	conteneurs
5 Bassin	13 Maison
6 Cascade	
7 Ruisseau	↑ sens de la descente
8 Mixed-border	des marches
9 Bassin supérieur	
	🔫 lieu de la prise de vue

Une pente naturelle dans un jardin permet de réaliser
une construction associant rochers et eau, mais
votre projet sera bien évidemment dicté par les
caractéristiques du terrain. D'un point de vue pratique,
choisissez des pierres locales : elles seront plus
adaptées à l'environnement et moins coûteuses que
celles transportées sur de longues distances.

Il est difficile de dessiner le plan des plantations
pour de tels terrains : utilisez quelques plantes de base
comme des conifères nains ou de petits arbustes
persistants. Les plantes alpines peuvent être plantées
suivant l'inspiration, en veillant à ce qu'elles s'adaptent
à la fois à l'espace disponible et à l'emplacement.

Une allée sinueuse est plus esthétique qu'un
chemin rectiligne, tandis que l'association de pentes
douces et de marches permet un changement
d'allure et facilite la descente.

Il faut également bien réfléchir à l'emplacement
des sièges et prévoir un coin repos assez grand
à mi-chemin de la pente. Choisissez-le avec un joli
point de vue sur le jardin, ou sur le paysage extérieur
pour en profiter pleinement.

RÉALISATION

⋈ CI-CONTRE

CRÉER UN RUISSEAU PARMI LES ROCHERS Vous pouvez construire un ruisseau avec une succession de longs bassins étroits, en soudant les liners à chaque changement de niveau.

Utilisez un liner de bonne qualité, posé sur un feutre, et fabriquez de petites dalles de béton que vous placerez à chaque extrémité où il y a un changement de niveau, et sur lesquelles vous positionnerez vos rochers. Pliez des morceaux du liner restant et disposez-les sous la dalle de béton pour une protection supplémentaire.

Le lit du ruisseau sera étanche à chaque cascade si le bord du liner du bassin supérieur recouvre celui du bassin inférieur (voir illustration ci-contre). Mais pour plus de sécurité, soudez ou scellez ces parties à l'aide d'une colle ou d'un ruban adhésif étanche. Consultez les marchands spécialisés dans ce type d'aménagements.

Positionnez les rochers de façon stable sur les dalles de béton, de chaque côté de la cascade. Vous pouvez procéder à un premier essai, puis vider l'eau pour apporter quelques améliorations. Pour le choix de la pompe, là encore n'hésitez pas à faire appel à un spécialiste, car elle devra être suffisamment puissante pour maintenir un débit rapide à chaque cascade. Au sommet du ruisseau, un bassin alimente le tuyau de retour de la pompe.

COUPE D'UN RUISSEAU AVEC CASCADES

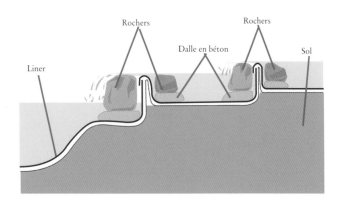

Rochers

Rochers

Dalle en béton

Sol

Liner

Conception et réalisation

TRADITION ET FORMALISME

Un bassin de grande taille est plus adapté à un grand jardin, mais en créant un espace très structuré autour d'un petit bassin, l'effet peut être particulièrement réussi.

Il est souvent difficile de dessiner de très grands jardins, surtout si vous souhaitez y introduire un style formel. Ici, on a contourné le problème en utilisant un espace avec une pelouse près de la maison, clairement séparé de la partie plus naturelle par des haies basses

CONCEPTION

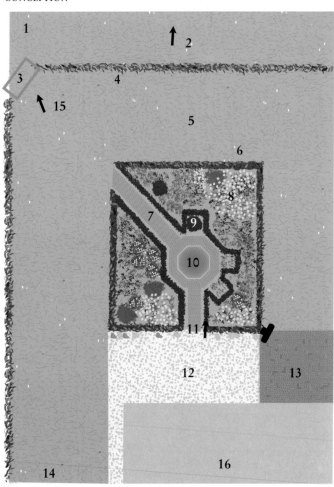

taillées. À l'intérieur de cette partie formelle, on a intégré un mini-jardin avec un bassin central, d'où partent des chemins qui relient les différentes parties. Un de ces chemins est aligné à angle droit sur la maison, d'où il est immédiatement visible en sortant. L'autre chemin contourne le bassin pour se diriger directement vers la pergola située dans l'angle de la pelouse.

UNE ROUE PLANTÉE D'ALPINES
Si vous avez de jeunes enfants, vous préférerez sans doute éviter le bassin central. Vous pouvez le remplacer par une roue de plantes aromatiques odorantes ou par de jolies plantes alpines. Il vous faut deux morceaux de bois, de la ficelle, une bêche, du terreau et de l'engrais, une vieille plaque d'égout, du gravier fin, des galets et des ardoises pour la décoration, et une bonne sélection de plantes alpines.

RÉALISATION

CRÉER UNE ROUE DE PLANTES ALPINES

1 Bêchez le sol et amendez-le de terreau et d'engrais. Attachez un morceau de bois à une ficelle de la longueur du rayon choisi. Pendant que quelqu'un tient le piquet central, dessinez le cercle en maintenant la ficelle tendue. Déposez des briques sur la circonférence et sur les rayons de la roue.

2 Positionnez les plantes en les laissant dans leur pot, pour vérifier l'espacement, puis plantez-les. Utilisez une espèce différente pour chacune des sections ; elles définiront mieux le dessin au fur et à mesure de leur croissance. Essayez de créer un contraste de couleurs et de textures.

3 Couvrez le sol restant de gravier, puis ajoutez les galets et les ardoises pour une finition plus soignée en attendant que les plantes atteignent leur maturité.

Sélection de plantes

PLANTES POUR MILIEUX HUMIDES ET ROCAILLES

Le choix de ce type de plantes est parfois déconcertant ; celles que l'on aimerait faire pousser sont toujours trop nombreuses pour l'espace disponible. Dans un bassin par exemple, il est important d'avoir des plantes immergées oxygénantes qui passent inaperçus, en même temps que des nénuphars dont le feuillage recouvre en partie la surface de l'eau. Toutefois, c'est parmi les plantes de berge (celles plantées dans l'eau peu profonde sur les bords du bassin) et celles pour milieux humides que le choix est le plus varié.

NÉNUPHARS

Choisissez des variétés adaptées à votre bassin : certaines sont très vigoureuses et conviennent pour des étangs ou des lacs, alors que des variétés miniatures peuvent pousser dans de petits bacs. En cas de doute, interrogez votre fournisseur. 'Froebeli' (rouge), 'Rose Arey' (rose) sont de bonnes variétés pour de petits bassins. 'Amabilis' (rose), 'Attraction', 'Laydeckeri Purpurata' (rouge) et 'Marliacea Chromatella' (jaune) conviennent pour des bassins de taille moyenne.

Nymphea 'Amabilis' est l'un des nombreux nénuphars qui peuvent prendre place dans un bassin de taille moyenne. Les nénuphars sont des plantes assez chères, mais elles durent de nombreuses années.

AUTRES PLANTES POUR EAUX PROFONDES

Les plantes portant cette appellation poussent avec environ 30 cm d'eau au-dessus de leur couronne, mais peuvent supporter une profondeur deux fois plus importante. Les nénuphars sont les plus connus dans cette catégorie, mais essayez *Aponogeton distachyos* dont la floraison odorante s'épanouit du printemps à l'automne. C'est une plante envahissante si elle est plantée directement dans la boue au fond d'un bassin, mais elle est plus facile à contrôler dans un conteneur.

Aponogeton distachyos est une plante aquatique étonnante qui fleurit du printemps, ou du début de l'été, jusqu'aux premières gelées. Ses fleurs blanches sont légèrement parfumées.

PLANTES POUR BERGES PEU PROFONDES

Ces plantes se cultivent avec seulement quelques centimètres d'eau au-dessus de la couronne. Elles sont souvent mises en place autour des bassins, dans environ 25 cm d'eau, sur des étagères spécialement conçues. Essayez dans cette catégorie *Acorus gramineus* 'Variegatus', *Caltha palustris*, *Pontederia cordata* et *Veronica beccabunga*.

Vous pouvez cultiver *Acorus gramineus* 'Variegatus' dans quelques centimètres d'eau, essentiellement pour son feuillage, semi-persistant, qui est décoratif.

PLANTES OXYGÉNANTES

Très peu de ces plantes immergées mettent en valeur le bassin, mais elles sont précieuses pour la qualité de l'eau, surtout si vous avez des poissons. Elles augmentent la

Myriophyllum aquaticum est l'une des plus jolies plantes oxygénantes, car son feuillage découpé se dresse à la surface de l'eau et peut, de façon esthétique, masquer les bords du bassin.

quantité d'oxygène contenue dans l'eau quand les poissons en ont le plus besoin et, en absorbant les aliments nutritifs, elles aident au contrôle de l'algue qui cause le verdissement de l'eau.

Lagarosiphon major (appelé aussi *Elodea crispa*) est la plus connue de ces plantes, mais elle est envahissante et il faut en éliminer régulièrement. Les différents myriophyllum ont un très joli feuillage découpé qui se dresse au-dessus de l'eau.

PLANTES POUR JARDINS « MARÉCAGEUX »

Ces plantes poussent dans la boue ou dans un sol qui ne se dessèche pas sans être inondé en permanence. Certaines peuvent vivre dans des massifs normaux, alors que d'autres meurent dès que le sol sèche. Les primevères comme *Primula japonica* et *P. bulleyana* sont excellentes en milieux humides, et *Lysichiton americanus*, avec ses étranges spathes jaunes, est vraiment très spectaculaire au printemps.

Primula bulleyana est une des nombreuses espèces de primevères ne prospérant que dans un sol humide; très belles plantées en masse, elles ont une superbe floraison printanière.

PLANTES ALPINES FACILES

Dans cette catégorie, certaines plantes, comme les aubriètes et *Alyssum saxatile* (dont l'appellation correcte est maintenant *Aurinia saxatilis*), sont très envahissantes. Plantez-les pour leurs couleurs éclatantes, mais évitez la proximité de plantes plus raffinées, de croissance plus lente. *Cerastium tomentosum*, les phlox de rocailles *Phlox subulata* et *P. douglasii*, de même que de nombreux saxifrages à floraison printanière, sont des plantes de rocailles très décoratives et pas aussi envahissantes.

Phlox douglasii produit des tapis colorés dans les rocailles au printemps, mais reste facile à contrôler. La variété ci-dessus est 'Daniel's Cushion'.

PLANTES ALPINES REMARQUABLES

Ces plantes sont si nombreuses, que vous trouverez facilement de quoi satisfaire vos goûts. Parmi celles-ci, au moins deux sont à retenir, non seulement pour leur couleur bleu profond, mais aussi parce qu'après une floraison printanière, elles refleurissent de nouveau en automne : *Gentiana septemfida* (mi-juillet/mi-septembre) et *G. sino-ornata* (octobre/novembre).

Gentiana septemfida apporte une note colorée dans une rocaille en fin d'été, et, comme son feuillage est persistant, elle ne manque pas d'intérêt en hiver. Il lui faut un sol riche en humus.

CONIFÈRES NAINS

Les conifères nains ne sont pas du goût de tous les jardiniers, et dans certaines très petites rocailles, ils paraissent déplacés. Toutefois, ils donnent du relief et présentent un intérêt en hiver. De petite taille, *Juniperus communis* 'Compressa' forme une colonne miniature de feuillage gris-vert. Pour des endroits plus spacieux, *J. communis* 'Depressa Aurea' et *Thuja Orientalis* 'Aurea Nana' sont de très jolis spécimens.

Juniperus communis 'Compressa' est l'un des conifères nains les plus adaptés pour rocailles. Sa croissante est relativement lente et les plantes adultes ne dépassent guère 75 cm de haut.

UN JARDIN POUR ATTIRER LA FAUNE

Pour beaucoup d'entre nous, un jardin ne se conçoit pas sans la vie sauvage qui l'entoure : papillons, oiseaux et insectes apportent couleurs et intérêts tout en contribuant activement à la pollinisation des fleurs et au maintien d'un contrôle sur les nuisibles.

Mais un jardin envahi de mauvaises herbes, notamment des orties, pour attirer les papillons par exemple, manquerait particulièrement d'attrait. Des herbes folles et des fleurs sauvages, uniquement dans le but de charmer la faune, ne correspondent certainement pas à l'idée que vous avez d'un jardin bien tenu. Cependant, un compromis est possible en attribuant une petite parcelle du jardin aux fleurs sauvages et aux graminées, et en intégrant dans la partie plus formelle, une pièce d'eau, de nombreux arbustes et grimpantes persistantes, ainsi que des massifs de fleurs pour attirer les insectes.

❧ CI-DESSUS
Un petit bassin est un moyen simple d'attirer oiseaux et autres petits animaux.

❧ PAGE DE GAUCHE
Ce jardin, qui n'a pas été conçu spécialement pour la vie sauvage, attire insectes et animaux, notamment des oiseaux, qui trouvent refuge dans les massifs touffus d'arbustes et dans les arbres.

Quelques idées

Il suffit de quelques éléments simples, comme un perchoir ou un bassin, pour attirer plein d'oiseaux. Un tas de compost ou de bois constitue également un excellent refuge où peuvent hiverner de nombreux animaux et insectes.

❧ CI-DESSUS
Un jardin riche en arbres, arbustes et plantes couvre-sols offre de nombreux refuges pour les oiseaux, les insectes et d'autres animaux. En attirant plein d'oiseaux au jardin, les insectes constituent un lien important dans la chaîne alimentaire.

 CI-DESSUS

Dans un jardin rural, il est beaucoup plus facile d'attirer la faune que dans un jardin citadin. Il suffit pourtant simplement que le jardin ait un couvert végétal abondant et soit garni de plantes donnant une atmosphère de jardin de curé.

CI-CONTRE

Même un simple jardinet devant la maison peut devenir un refuge pour la faune. Ici, un coin marécageux maintenu dans un état semi-sauvage, avec un petit bassin, attire des grenouilles, crapauds, salamandres, et de spectaculaires libellules et demoiselles, mais aussi divers insectes et petits mammifères. De tels refuges s'imposent dans les petits jardins de ville où l'habitat naturel est de plus en plus menacé.

QUELQUES IDÉES

Pour attirer la faune, un jardin ne doit pas nécessairement offrir un aspect sauvage, mais trouver un équilibre entre une partie ornementale et une autre plus naturelle.

❧ CI-DESSUS
Un jardin citadin peut héberger une faune d'une diversité étonnante s'il est conçu avec des arbres, arbustes et un espace dégagé. Donnez régulièrement à manger aux oiseaux et autres petits animaux sauvages, et plantez des fleurs qui attirent papillons et autres insectes.

❧ PAGE DE DROITE, EN BAS
Un jardin en sous-bois abrite une faune d'une grande variété, surtout s'il comporte des clairières alternant avec des aires boisées. Cependant, des arbres isolés ne font pas un jardin : il faut une pelouse ou un espace dégagé pour le structurer, mais aussi pour héberger une faune bien spécifique.

Un massif où
abondent les
fleurs attire les
abeilles, papillons
et autres types
d'insectes.
N'hésitez pas
à conserver un
carré d'orties
dans un endroit
assez discret
– derrière l'abri
de jardin ou sur
un talus –, où
proliféreront
les chenilles de
papillons. Pour
attirer la faune,
l'idéal est de faire
un compromis
entre le côté
sauvage et le
côté esthétique.

Conseils pratiques
AU FIL DE L'EAU

Dans un jardin, la présence d'un bassin ou d'un petit ruisseau permet non seulement de cultiver de superbes plantes aquatiques ou d'imposantes plantes de berge, mais également d'attirer une faune d'une incroyable diversité.

Un point d'eau transforme un jardin, ne serait-ce que par la végétation qui y règne, mais aussi par la faune qu'elle héberge. Si vous avez de jeunes enfants, vous pouvez prévoir un bassin sans danger, qui permettra aux petits animaux de venir boire et se baigner : un petit bassin à oiseaux est de loin préférable à une totale absence d'eau.

⚜ CI-DESSOUS
UN BASSIN Ici, le bassin crée un décor à part entière, et peut constituer l'élément central autour duquel le jardin est conçu. En outre, il attire toute une faune bien spécifique.

SUGGESTIONS *Pour attirer la faune, préférez un bassin aux contours naturels, permettant un accès aisé depuis le bord, à un bassin aux formes géométriques, difficilement accessible.*

✤ CI-DESSUS

UN COURS D'EAU Les jardiniers qui ont la chance d'avoir un cours d'eau naturel qui traverse leur jardin bénéficieront d'une faune importante. Sinon, il est tout à fait possible de créer un ruisseau artificiel tout aussi réussi que celui-ci.

SUGGESTIONS *Pour donner une apparence aussi naturelle à un cours d'eau artificiel, effectuez des plantations très denses sur les bords, en utilisant surtout des plantes indigènes.*

✤ CI-DESSUS

UN PETIT JEU D'EAU Tout jardin peut se doter d'un petit jeu d'eau. Ici, il s'agit simplement d'un couvercle de poubelle recyclé, rempli de galets et placé sur une réserve avec une petite pompe qui fait jaillir l'eau de la bouche de la grenouille. Oiseaux et petits mammifères apprécieront ce point d'eau.

SUGGESTIONS *Utilisez ce type de jeu d'eau pour animer un coin morne du jardin, un lieu très ombragé, par exemple, où peu de plantes se développent.*

✤ CI-CONTRE UNE BERGE N'hésitez pas à regrouper des plantes sauvages et des plantes cultivées afin de créer une illusion parfaite. Ici, la berge du bassin offre une apparence très naturelle bien qu'elle se compose uniquement de plantes cultivées.

SUGGESTIONS *Plus l'étendue d'eau est importante, plus il faut faire preuve d'imagination pour planter les rives, à moins que l'on préfère une simple surface engazonnée.*

Conseils pratiques

UNE PRAIRIE DE FLEURS SAUVAGES

Dans un jardin récemment aménagé à la place d'une prairie riche en fleurs sauvages, celles-ci se ressèmeront d'elles-mêmes abondamment. Dans les autres cas, il faudra les introduire, en semant vous-même des graines de fleurs sauvages, vendues par espèces séparées ou en mélanges – il existe des sachets spéciaux « graines de prairie fleurie ».

❧ CI-CONTRE **DES ESPACES NATURELS** Dans le cas d'un jardin suffisamment grand, on peut conserver une partie avec une pelouse classique, et une autre où poussent librement des herbes folles et se ressèment des fleurs sauvages. Ici, des orchidées sauvages fleurissent dans les espaces non tondus du jardin. Une telle diversité de fleurs attire beaucoup de papillons et d'oiseaux.

SUGGESTIONS *Pour un effet plus « sculpté », tondez une vaste pelouse avec différentes hauteurs de coupe, les chemins et allées étant tondus plus ras que le reste.*

❧ CI-CONTRE **UNE PRAIRIE FLEURIE** Cette prairie fleurie semée compte un mélange de graminées et de plantes à feuilles larges. Les mélanges où un seul type de plante prédomine sont souvent plus spectaculaires mais durant un moment assez bref, aussi un choix de plantes plus large s'avère utile pour attirer la faune, en fleurissant bien plus longtemps.

SUGGESTIONS *Un mélange « prairie fleurie » remplace le gazon dans un jardin où il y a de la place pour un espace « sauvage ». Ne le semez pas à proximité d'un massif ou d'une plate-bande classique.*

CI-CONTRE

DES PLANTES INDIGÈNES Dans un grand jardin, on peut laisser en friche de larges espaces en sous-bois comme au soleil. Ils seront colonisés par des plantes indigènes, dont certaines sont très décoratives. Le compagnon rouge *(Silene dioica)* montré ici est originaire de la région où a été prise cette photographie, et s'y ressème abondamment.

SUGGESTIONS Ces espaces vraiment sauvages offrent un aspect étonnant durant un temps assez court, mais demeurent sans intérêt le reste de l'année. Pour cela, ils ne conviennent qu'à la périphérie d'un très grand jardin.

CI-CONTRE

UN MASSIF NATUREL Ce groupe de fleurs sauvages donne une touche colorée naturelle. Dès qu'elles sont fanées, il suffit de les rabattre au ras du sol pour nettoyer la pelouse.

SUGGESTIONS Ne placez pas ce type de massif dans un endroit trop en vue. Réservez-le de préférence à une partie du jardin plus à l'écart et plus sauvage.

CI-CONTRE

DES FLEURS SAUVAGES CULTIVÉES Ces fleurs ont transformé une grande partie de terrain en friche en plate-bande vive et colorée, soigneusement conçue. Dans toutes les jardineries, on trouve des graines de fleurs sauvages en mélanges ou par espèces.

SUGGESTIONS Semez des fleurs sauvages pour égayer un talus banal ou une bande de terre en friche. Ici, on les a semées au bord d'une voie de chemin de fer à l'extrémité du jardin, mais elles auraient donné un effet similaire le long d'une route.

Conseils pratiques
VERGERS ET BOIS

Un bois ou un verger peut être une transition naturelle
entre les parties agencées du jardin et celles plus sauvages,
constituant un refuge idéal pour la faune.

UNE CLAIRIÈRE

C'est dans une clairière de sous-
bois ou dans un espace dégagé
près d'une haie que l'on observe
une faune et une flore très
diversifiées. Pour créer une
clairière, il est inutile d'avoir un
jardin très grand ni de la
concevoir longtemps à l'avance.
Choisissez des arbres à croissance
rapide, comme le bouleau,
notamment *Betula pendula*,
qui peut dépasser 6 m de haut
en dix ans, et espacez-les
suffisamment pour qu'ils
conservent une forme
attrayante sans dispenser trop
d'ombre. Un taillis d'une dizaine
d'arbres offre plein d'attrait
sur une pelouse et s'avère un
refuge idéal pour la faune.

❧ CI-DESSUS
AU PIED DES ARBRES Un sous-bois
n'est pas toujours sombre et triste. Les
jacinthes des bois s'étalent rapidement
au point de se naturaliser à l'ombre. On
peut aussi cultiver des bulbes de tulipes
et muscaris à condition que l'ombre ne
soit pas trop dense. Dans un grand jardin,
un espace boisé est idéal pour attirer
la faune.

SUGGESTIONS *Si vous voulez obtenir*
un bois rapidement, optez pour les
bouleaux qui poussent vite ; ces arbres
étant caducs, vous pourrez garnir
leur pied de bulbes et bisannuelles
à floraison printanière qui seront
fanées une fois que le feuillage
des arbres dispensera trop d'ombre.

❧ CI-CONTRE
UNE TERRASSE
OMBRAGÉE
N'hésitez pas à
planter des arbres
près de la maison
afin de bénéficier
d'une ombre
précieuse en été
sur la terrasse.
Vous pouvez
aussi consacrer
un massif à des
fleurs sauvages,
sachant toutefois
qu'elles attireront
des insectes.

SUGGESTIONS
Veillez à ce que
les bords d'un
massif « sauvage »
paraissent
aussi naturels
que possible.

❧ CI-CONTRE DES SENTIERS ENGAZONNÉS Un jardin suffisamment grand pour avoir un verger ou un espace boisé s'avère idéal pour attirer une faune variée. Laissez pousser les fleurs sauvages dans la plus grande partie de cet espace et coupez les graminées une ou deux fois par an seulement – à condition qu'il n'y ait pas de plantes rares. Contentez-vous de tondre régulièrement les chemins.

SUGGESTIONS *Vous pouvez tracer des allées rectilignes ou sinueuses, en évitant de les tondre trop ras, pour obtenir un aspect le plus naturel possible.*

❧ CI-CONTRE DES FLEURS SAUVAGES AU VERGER Une partie de cet ancien verger est désormais constellée de fritillaire damier (*Fritillaria meleagris*), d'anémones des bois (*Anemone nemorosa*) et de narcisses. Toutes ces plantes bulbeuses à floraison printanière se naturalisent bien dans l'herbe d'un verger. En été, des fleurs sauvages leur succèdent, attirant toute une faune bien spécifique.

SUGGESTIONS *N'attendez pas que la nature transforme un ancien verger. Commencez par naturaliser des bulbes et planter ou semer des fleurs sauvages si nécessaire.*

Conseils pratiques
NOS AMIS AILÉS

De tous les petits animaux qui visitent le jardin, les oiseaux sont les plus faciles à apprivoiser. Ils viendront régulièrement vous voir si vous prenez l'habitude de leur laisser à manger. Pour les faire revenir fréquemment, offrez-leur également un point d'eau (un petit bassin), où ils puissent s'abreuver et se baigner en toute sécurité.

⚘ CI-DESSUS
UNE MANGEOIRE DÉCORATIVE POUR LES OISEAUX Une mangeoire pour les oiseaux s'avère souvent plus pratique qu'ornementale, mais ce n'est pas toujours le cas, comme le montre ce modèle fait main, qui constitue un élément décoratif à part entière.

SUGGESTIONS Installez-la hors de portée des chats ou d'autres animaux et si possible, évitez le milieu de la pelouse. Une volière comme une mangeoire se patinent rapidement et se salissent vite si l'on ne nettoie pas les fientes d'oiseaux.

⚘ PAGE DE DROITE, EN BAS
UN BASSIN ORNEMENTAL POUR OISEAUX Un bassin pour oiseaux est un peu austère lorsqu'il est simplement isolé sur la pelouse. En revanche, il devient un décor attrayant lorsqu'il est entouré, comme ici, de plantes alpines dans un lit de gravier.

SUGGESTIONS Le centre de la pelouse n'est pas toujours le meilleur endroit pour un bassin pour oiseaux. Installez-le de préférence sur un côté de la pelouse, près d'un massif, de sorte que l'on admire tout le jardin pour le découvrir. En outre, les oiseaux se sentiront plus en sécurité à l'abri des arbres et des arbustes proches.

⚘ CI-DESSUS
UN COLOMBIER Pour agrémenter votre jardin du vol de gracieuses colombes, installez un colombier qui deviendra un élément décoratif à part entière.

SUGGESTIONS Souvent peint en blanc et disposé bien en vue sur une pelouse, le colombier gagne pourtant à être placé au fond d'un massif.

RÉALISATION

MASSIF-ÎLOT

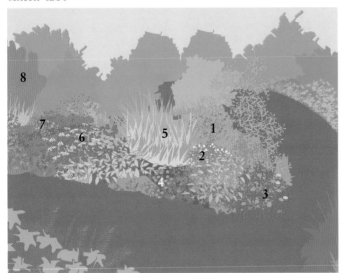

❧ CI-DESSUS

MASSIF-ÎLOT Ce type de massif s'avère précieux pour briser un grand espace. Il est conçu pour être attrayant de tous côtés. Il peut avoir une forme géométrique, comme sur le plan de la page de gauche, ou bien une forme naturelle tel sur le plan ci-dessus. À gauche, les quatre côtés offrent une perspective et des groupements de plantes différents.

En plus des vivaces et des bulbeuses, quelques arbustes apportent du volume aux massifs, surtout durant l'hiver, même s'ils ne sont pas persistants. Privilégiez des arbustes à fleurs comme les hydrangéas, dont les têtes, même fanées, restent décoratives jusqu'au printemps suivant.

Pensez également aux arbustes à tiges colorées l'hiver, comme le *Cornus stolonifera* 'Flaviramea' ou le *Cornus alba* 'Sibirica', qui sont décoratifs toute l'année.

157

Conception et réalisation

LA NATURE APPRIVOISÉE

Ce jardin concilie les exigences de la faune qui préfère
un espace inculte et le désir du jardinier de créer un jardin
bien tenu et esthétique.

CONCEPTION

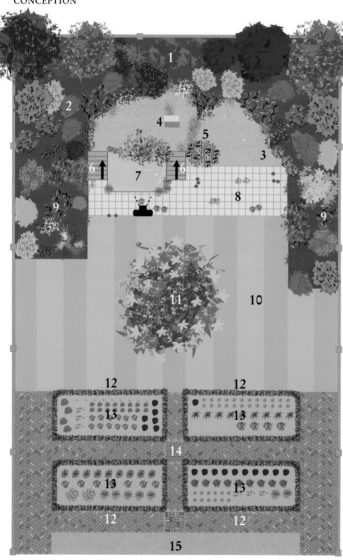

Les deux parties distinctes du
jardin sont reliées par une pelouse
et un grand arbre pleureur.
Celui-ci, isolé sur le gazon, fait
une transition progressive,
mariant deux styles contrastés :
un jardin géométrique d'herbes
aromatiques près de la maison,
et un espace d'herbes folles,
avec un bassin, des arbustes et
des arbres à l'extrémité du jardin.

Un espace sauvage donne
souvent l'impression de n'être
envahi que de mauvaises herbes.
Il reflète en effet la nature, mais
pas nécessairement la vision
que l'on a d'un jardin. Comme
compromis, transformez
l'extrémité du jardin en une aire
sauvage, tout en gardant un style
plus raffiné auprès de la maison.
Une pelouse est une bonne façon
de lier les deux styles ; des herbes

RÉALISATION

folles avec des fleurs sauvages au fond, et un gazon d'ornement, fin, bien tondu, près de la maison.

Autour des massifs, posez le dallage selon deux motifs différents pour un rendu plus original.

DALLAGE IRRÉGULIER

Un motif très régulier où les dalles sont toutes alignées peut sembler répétitif, surtout sur une grande surface. Posez-les en quinconce, en utilisant par exemple des dalles de tailles différentes pour augmenter l'attrait et donner du caractère à l'ensemble. Si vous désirez planter entre les dalles, remplacez le mortier par du sable grossier et espacez un peu plus les dalles.

La pierre naturelle offre un effet très plaisant quand elle est posée irrégulièrement, et il est également possible d'acheter des dalles de béton de différentes tailles pour obtenir un effet similaire. Elles sont facilement disponibles et généralement moins chères.

POSER UN DALLAGE IRRÉGULIER

1 Creusez l'espace choisi à une profondeur permettant de disposer environ 5 cm de cailloutis tassé, surmonté d'environ 5 cm de mélange de sable et de gravier, plus l'épaisseur des dalles.

2 Placez cinq poignées de mortier à l'emplacement de la dalle, une au milieu et les autres aux coins. On peut aussi recouvrir de mortier tout l'espace sous la dalle, en le mettant bien à niveau.

3 Scellez la dalle sur le mortier, vérifiez l'horizontalité avec un niveau. Sur une grande superficie, faites une légère inclinaison pour l'écoulement de l'eau. Vérifiez la pente avec un morceau de bois placé sous un côté du niveau.

4 Utilisez des gabarits de même épaisseur pour assurer un espacement régulier, et ajustez à nouveau les dalles si besoin est. Si vous voulez planter dans les joints, laissez de grands espaces entre les dalles. Enlevez les gabarits avant de remplir les joints de mortier.

Attendez un jour ou deux avant de jointoyer au mortier. Utilisez un mortier maigre, et avec une petite truelle, insérez-le entre les joints. Lissez soigneusement en effectuant un léger retrait. Essuyez immédiatement toute tache sur les dalles avant que le mortier sèche.

Conception et réalisation

UN JARDIN AU CARRÉ

Ce jardin marie avec succès le raffinement d'un jardin à la spontanéité d'un espace sauvage. Le plan formel aux fortes lignes géométriques intègre parfaitement un espace boisé.

Un jardin boisé constitue un refuge idéal pour la faune, mais peut paraître sans intérêt quand on le regarde depuis la maison.

Ici, l'espace juste devant la maison est très structuré : il associe des rectangles et des carrés de différentes dimensions

CONCEPTION

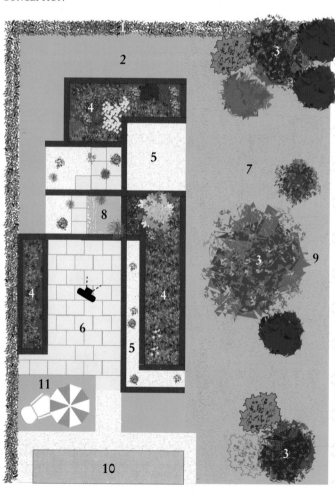

comportant sur un des côtés un espace composé d'herbes folles et d'arbres. Situé en lisière de grands arbres, il est très ombragé, mais les lignes fortes et les différents revêtements de l'espace géométrique, ainsi que les nombreuses plantes d'ombre à feuillage décoratif, lui donnent un attrait permanent.

L'eau attirant toujours la faune, on a aménagé un petit bassin avec une pente peu profonde.

UN BASSIN PRÉFABRIQUÉ
Si un petit bassin d'allure naturelle s'impose dans le plan de votre jardin, optez pour un modèle préfabriqué, simple à installer. À l'achat, si ces bassins sont présentés sur le côté, n'hésitez pas à en mettre un à même le sol pour bien vous rendre compte de son volume car, une fois en place, ils paraissent toujours plus petits.

RÉALISATION

INSTALLER UN BASSIN PRÉFABRIQUÉ

1 Reproduisez la forme du bassin à même le sol en disposant des baguettes tout autour. Placez un tuyau d'arrosage ou une ficelle à l'extérieur des baguettes.

2 Enlevez le bassin et les baguettes, et creusez le trou à la profondeur requise, en suivant le contour aussi précisément que possible.

3 Disposez une planche de bois à bord rectiligne au-dessus du trou pour vérifier le niveau. Mesurez pour vous assurer que vous avez bien creusé à la profondeur requise.

4 Mettez le bassin dans le trou, puis ajoutez ou enlevez de la terre si besoin. Supprimez toute grosse pierre. Vérifiez l'horizontalité du bassin à l'aide d'un niveau.

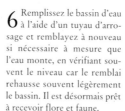

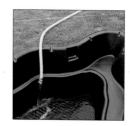

5 Enlevez le bassin, puis tapissez le trou de sable humide si le sol est rocailleux. Une fois le bassin en place et le niveau vérifié, remblayez avec du sable ou de la terre fine, en veillant à conserver une bonne horizontalité.

6 Remplissez le bassin d'eau à l'aide d'un tuyau d'arrosage et remblayez à nouveau si nécessaire à mesure que l'eau monte, en vérifiant souvent le niveau car le remblai rehausse souvent légèrement le bassin. Il est désormais prêt à recevoir flore et faune.

Conception et réalisation

BEAUTÉ SAUVAGE

Un grand jardin, intégré dans un cadre séduisant, offre de multiples possibilités pour réaliser un décor superbe et attirer une faune très variée. La pente naturelle du terrain permet de structurer le jardin de diverses façons.

Un grand jardin disposant d'une déclivité doit se concevoir en utilisant si possible les contours naturels du terrain. C'est pourquoi, un jardin de ce type est presque toujours unique. Cependant, vous pouvez adapter à votre propre jardin les principes de base et les concepts du plan s'ils sont appropriés. Bien qu'il

CONCEPTION

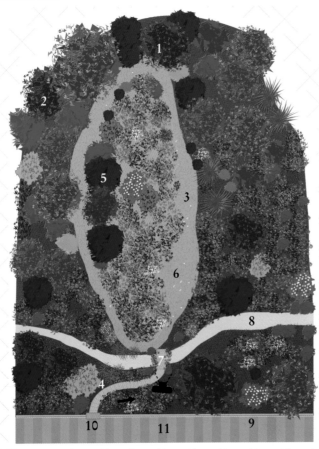

s'agisse d'un grand jardin, on peut aménager de la même façon une pente plus petite.

Un cours d'eau naturel apporte un plus au jardin, mais avec ingéniosité et énergie, vous pourrez concevoir un ruisseau artificiel à l'aide d'un liner.

☙ **PAGE DE DROITE**
PLANTER DANS UN SOL SEC ET OMBRAGÉ Un espace boisé est toujours plus attrayant s'il comporte à la base des arbres des vivaces et des arbustes nains. Cependant, le sol ombragé au pied des arbres est souvent sec, aussi faut-il choisir des plantes qui tolèrent ces conditions, et veiller à bien les arroser la première année jusqu'à ce qu'elles reprennent.

N'hésitez pas à supprimer certaines des branches les plus basses des grands arbres (tâche à confier de préférence à un élagueur qui éclaircira aussi la cime si nécessaire).

Pour que le sous-bois conserve un aspect naturel, aménagez des sentiers sinueux plutôt que rectilignes, et laissez certaines plantes s'étaler sur les bordures. Pour la plantation d'un grand espace, préférez aux plantes individuelles qui auraient peu d'effet, des touffes comprenant cinq à sept pieds de la même variété.

RÉALISATION

PLANTES POUR SOL SEC ET OMBRAGÉ

LES PLANTES CHOISIES

1 *Ajuga reptans*
2 *Geranium magnificum*
3 *Geranium pratense*
4 *Deutzia × kalmiiflora*
5 *Rubus spectabilis* 'Flore Pleno'
6 *Geranium macrorrhizum* 'Album'
7 *Colchicum autumnale*
8 *Arum italicum*
9 *Myosotis sylvatica*
10 *Helleborus* Hybrides
11 *Geranium macrorrhizum*
12 *Galium odoratum* (syn. *Asperula odorata*)

Conception et réalisation

SE RAPPROCHER DE LA NATURE

Lorsque le jardin est suffisamment grand pour consacrer tout un espace à des promenades bucoliques, serpentant parmi de petits cours d'eau, en sous-bois et le long d'herbes folles, le rapprochement avec la nature est vraiment réussi.

CONCEPTION

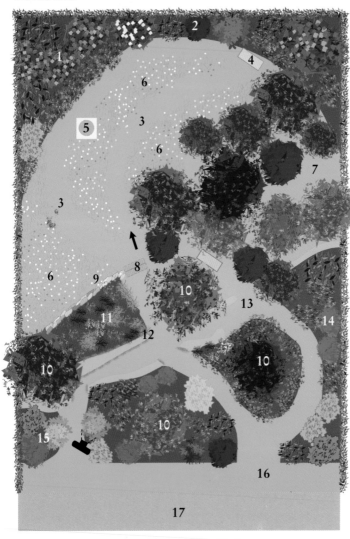

LÉGENDES DU PLAN

1 Arbustes
2 Mixed-border garni surtout de plantes qui attirent les papillons et autres insectes
3 Allée de gazon tondu
4 Banc
5 Grande sculpture ou élément décoratif
6 Herbes folles et fleurs sauvages
7 Jardin en sous-bois
8 Marches
9 Mur en pierres
10 Arbre remarquable
11 Jardin marécageux
12 Cours d'eau
13 Sentier engazonné
14 Massif d'arbustes et de vivaces
15 Arbustes
16 Pelouse
17 Maison

↑ sens de la descente des marches

lieu de la prise de vue

Dans ce jardin, les allées sinueuses qui paraissent parfaitement naturelles ont été conçues pour avoir un impact maximal. Elles décrivent surtout des boucles, se rencontrent puis se séparent au hasard du terrain, offrant des possibilités multiples pour explorer le jardin. La présence d'arbres, d'eau, d'herbes folles et de fleurs sauvages, constituant autant d'habitats différents, fait venir une faune très variée. Les massifs sont plantés de fleurs attirant les insectes et d'arbustes mûrissant des baies dont raffolent les oiseaux.

RÉALISATION

DES CHAISES LONGUES DÉCORATIVES

✤ CI-DESSUS

Dans un jardin naturel comme celui du plan de la page de gauche, des chaises longues s'imposent pour prendre le soleil au milieu des fleurs sauvages et des chants d'oiseaux. Si vous avez des chaises longues usagées, rajeunissez-les en les recouvrant d'un nouveau tissu décoré au pochoir. Il vous faut environ 1,50 m de tissu par chaise, que vous lavez, rincez, séchez et repassez avant de l'utiliser.

Vous pouvez acheter un pochoir dans un magasin spécialisé, ou bien créer le vôtre pour la toile et le cadre. Il est possible également de teindre le vieux bois avec une lasure colorée, du même ton que la toile ou d'une teinte complémentaire.

✤ CI-DESSUS

Concevez d'abord le motif, puis fixez le pochoir à l'aide d'un ruban adhésif. Imprégnez la brosse à pochoir de peinture, enlevez tout excès en badigeonnant un papier journal, puis appliquez la couleur sur la partie spécifique du pochoir. Déplacez-le et répétez l'opération pour la même couleur. Puis repositionnez le pochoir et appliquez une nouvelle teinte. Répétez jusqu'à ce que le motif soit complet. Laissez sécher, puis fixez la peinture en la couvrant d'un linge blanc et en passant un fer à repasser très chaud sur chaque partie durant au moins deux minutes. Utilisez des clous de tapissier pour fixer solidement la toile au sommet et à la base de la chaise longue.

Conception et réalisation
INTÉGRÉ DANS LE PAYSAGE

Un grand jardin dans un cadre rural peut se fondre dans le paysage s'il est clos d'une ceinture d'arbres et d'arbustes, un peu comme en lisière d'un espace boisé. Un jardin d'une telle taille comporte une importante surface engazonnée, dont l'entretien sera réduit si l'on consacre certains espaces à des fleurs sauvages et des herbes folles pour attirer la faune.

CONCEPTION

LÉGENDES DU PLAN

1 Massif d'arbres et d'arbustes
2 Banc
3 Terrasse dallée autour du banc
4 Pelouse
5 Herbes folles et fleurs sauvages
6 Arbustes et plantes couvre-sols
7 Arbustes à faible développement
8 Mur de soutènement
9 Terrasse
10 Dallage en briques
11 Cour en pierre naturelle garnie d'arbustes nains
12 Bassin carré
13 Maison

🐌 lieu de la prise de vue

faune abondante, notamment des oiseaux, qui s'y désaltèrent et s'y baignent.

La grande terrasse, légèrement surélevée, offre une belle vue sur le jardin, renforçant son côté agréable et reposant.

DES FLEURS SAUVAGES INTRODUITES AU JARDIN

Pour attirer les oiseaux, les papillons et autres petits animaux, l'idéal est de créer un gazon de fleurs sauvages à la place d'une pelouse tondue. Ne procédez pas sur toute la surface, mais plutôt par touches. Si votre pelouse ne comporte pas déjà des fleurs sauvages, vous pouvez semer un mélange de graines spécial « prairie fleurie » ou, dans un petit espace, planter des fleurs sauvages en godets.

La tonte de l'herbe est la seule vraie corvée, encore qu'elle soit réduite grâce à la présence de fleurs sauvages et d'herbes folles ; il suffit de disposer d'une tondeuse puissante pour faciliter la tâche. S'il faut arroser régulièrement les plantations saisonnières en pots, les arbres et les arbustes ne requièrent aucun entretien suivi.

On a aménagé un petit bassin géométrique dans la cour pavée entre les deux ailes de la maison ; ce petit espace est visité par une

RÉALISATION

SEMIS ET PLANTATION DE FLEURS SAUVAGES

1 Le meilleur moyen de créer un gazon de fleurs sauvages est de semer un mélange spécial «prairie fleurie» au lieu d'une pelouse. Mais auparavant, veillez à bien nettoyer le terrain des mauvaises herbes vivaces.

2 Pour ensevelir les graines, contentez-vous de ratisser dans une direction, puis dans l'autre. Cela n'a pas d'importance si certaines graines restent en surface. Arrosez bien jusqu'à la levée et protégez des oiseaux si nécessaire.

3 Pour un très petit espace, préférez les plantes sauvages sous forme de jeunes plants en godets, que vous aurez semées au préalable, ou bien achetées en jardinerie ou dans une pépinière spécialisée.

4 Plantez-les à même le sol nu, ou bien directement sur la pelouse existante. Arrosez-les bien jusqu'à ce qu'elles reprennent.

Sélection de plantes
LES PLANTES POUR ATTIRER LA FAUNE

La plupart des plantes attirent la faune, mais certaines ne sont visitées que par des insectes bien particuliers : ainsi, le *Buddleja davidii,* dénommé à juste titre « arbre à papillons », car ceux-ci apprécient ses fleurs, ou bien le népéta, souvent envahi par les abeilles.

DES ARBUSTES POUR LES PAPILLONS

L'arbre aux papillons doit figurer en premier sur la liste, mais n'oubliez pas les autres buddléias, comme *B. alternifolia* et *B. globosa.* Les autres arbustes courants qui attirent les papillons sont les céanothes, les bruyères, de nombreuses hébés, les lavandes, et *Spiraea × bumalda* (désormais rebaptisé *S. japonica*).

Le *Sedum spectabile* anime un massif en automne de toute une population d'abeilles et de papillons. La variété 'Meteor', sur la photo, figure parmi les meilleures.

Le *Buddleja davidii* est également dénommé « arbre à papillons » car il les attire. Il est très facile à cultiver, même en sol pauvre, mais doit être régulièrement taillé pour rester compact. Il en existe des variétés à fleurs bleues, pourpres, roses et blanches.

DES VIVACES POUR LES PAPILLONS

Les vivaces suivantes attirent les papillons, au même titre que les meilleurs arbustes. En outre, certaines fleurissent tard, comme la plupart des asters vivaces, tels *Aster amellus, Aster × frikartii, Aster novae-angliae, Aster novi-belgii,* ainsi que le *Sedum spectabile* et ses hybrides.

DES ANNUELLES POUR LES PAPILLONS

De nombreuses annuelles d'été, comme les pensées et les œillets d'Inde, attirent également les papillons. Sans oublier l'agératum, l'ibéris, et l'alysse (*Alyssum maritimum,* rebaptisé *Lobularia maritima*).

L'œillet d'Inde est une annuelle idéale pour l'été, fleurissant sans arrêt de juin aux gelées, si l'on supprime les fleurs fanées au fur et à mesure. Il attire ainsi les papillons très longtemps. Cette variété est 'Red Cherry'.

LES PLANTES PRÉFÉRÉES DES CHENILLES

Les chenilles se nourrissent de plantes différentes de celles dont raffolent les papillons. Le fait que les papillons déposent généralement leurs œufs sur des plantes autres (souvent des mauvaises herbes) que celles dont ils puisent le nectar est un

La capucine (*Tropaeolum majus*) est une annuelle rustique, charmante et simple à cultiver, encore que certaines espèces de papillons pondent leurs œufs sur les feuilles. Il s'agit donc d'une plante bénéfique car les chenilles qui éclosent restent sur leurs feuilles au lieu de s'attaquer à d'autres plantes et sont faciles à maîtriser.

grand soulagement pour le jardinier. Ainsi, les chenilles prolifèrent sur les orties (*Urtica dioica*), les chardons, la capucine (*Tropaeolum majus*) et la capucine des canaris (*Tropaeolum peregrinum*).

Cependant, les papillons s'avèrent parfois étonnants

par le choix des plantes sur lesquelles ils pondent leurs œufs. Si vous vous intéressez aux papillons, n'hésitez pas à consulter un ouvrage spécialisé qui vous recommandera les plantes qu'ils préfèrent.

LES PLANTES POUR PAPILLONS DE NUIT

Les papillons de nuit et autres insectes nocturnes n'embellissent pas vraiment le jardin, mais pour les passionnés, les insectes à activité nocturne s'avèrent tout aussi intéressants que les diurnes. Ils sont généralement attirés par les plantes qui embaument la nuit, comme certains tabacs d'ornement (Nicotiana), et certaines giroflées, tel *Matthiola bicornis*, rebaptisé *M. longipetala*.

Les tabacs d'ornement, dont les fleurs s'épanouissent la nuit, attirent des insectes, comme les papillons de nuit. Ils ont aussi l'atout d'un parfum puissant. Prenez garde toutefois aux hybrides modernes qui, souvent, ont été créés pour que leurs fleurs s'ouvrent durant la journée; vérifiez bien sur le sachet de graines la période d'éclosion.

DES PLANTES POUR LES OISEAUX

Des plantes, telles des grimpantes denses et des haies persistantes, procurent aux oiseaux un lieu pour nicher ainsi que de la nourriture. Ceux qui se nourrissent surtout de graines sont attirés par des plantes comme la cardère *(Dipsacus fullonum et D. sativus)*, qui mûrit de gros fruits, aux graines abondantes, tandis que les oiseaux qui picorent les baies viennent dans les jardins plantés de sorbiers *(Sorbus)* et pyracanthas.

En automne, le pyracantha s'orne de baies décoratives. Les oiseaux n'y touchent pas à cette saison, mais s'en régalent dès qu'arrive le temps froid.

LES PLANTES MELLIFÈRES

Si vous avez des ruches ou êtes tout simplement fasciné par ces insectes si actifs, vous privilégierez les plantes mellifères (c'est-à-dire qui attirent les abeilles). Les abeilles raffolent du népéta *(Nepeta racemosa,* toujours vendu sous ses anciens noms *N. mussinii* et *N. × faasenii)* et de l'origan, mais aussi de nombreuses autres plantes de massif, comme les géraniums vivaces. Pour le printemps, pensez au genêt *(Cytisus),* à l'aubriète

Le *Nepeta × faasenii* est une belle plante de massif, très prisée des abeilles, qui fleurit de mai à septembre. Ne le plantez pas en bordure d'une allée afin d'éviter de vous faire piquer.

et au crocus, et pour l'automne, au *Sedum spectabile* et aux asters vivaces recommandés pour les papillons.

LES PLANTES POUR INSECTES BÉNÉFIQUES

La meilleure façon d'attirer les insectes bénéfiques au jardin est de planter une grande diversité de fleurs, notamment des annuelles. Une des meilleures est *Limnanthes douglasii,* qui produit un beau tapis de fleurs jaune et blanc; cette annuelle se ressème abondamment.

Le *Limnanthes douglasii* est une petite annuelle à floraison vive et colorée, qui se ressème spontanément au point de coloniser un emplacement ensoleillé.

169

LES PETITS JARDINS

La dimension est une notion relative, notamment lorsqu'elle s'applique
aux jardins, et souvent, l'on dispose d'un espace plus petit que ce que
l'on souhaiterait. Non seulement il est difficile d'y cultiver toutes les plantes
que l'on voudrait, mais de plus, le manque de place conditionne souvent
le plan et son style. S'il s'agit d'un jardinet devant la maison, il faudra
certainement trouver de la place pour une allée carrossable.

Il existe autant de solutions que de jardins, mais les pages qui suivent prouvent
qu'un petit espace ne signifie pas nécessairement un effet réduit. Avec un peu
d'imagination, il est possible de transformer une cour minuscule, en pleine
ville, a priori sans attrait. De plus, certaines des idées préconisées pour
un petit jardin peuvent évidemment s'adapter à une partie d'un grand terrain.

Les limites du jardin revêtent plus d'importance lorsque l'espace est exigu
et quoi que vous fassiez pour agencer le centre, clôture, haie ou mur
délimitent souvent la vue. Essayer d'en tirer le meilleur parti, en choisissant
une clôture décorative, ou en plantant une haie fleurie naine, ou encore
en peignant un vieux mur d'une couleur pâle pour refléter la lumière et créer
un fond esthétique pour les arbustes palissés et autres plantes.

❧ CI-DESSUS
Ce massif digne d'un jardin de curé déborde de couleurs et de parfums.

❧ PAGE DE GAUCHE
Des plantations judicieuses et un plan adapté créent
une illusion d'espace dans ce petit jardin de ville.

QUELQUES IDÉES

Un petit jardin peut avoir autant d'effet qu'un grand terrain. Ne négligez pas l'idée d'un élément imposant, souvent plus percutant sur une surface réduite, ou de végétaux volumineux, car une grande quantité de petites plantes ne fait que renforcer l'exiguïté de l'espace.

❧ PAGE DE GAUCHE, EN HAUT

Si un très petit jardin est cerné de hautes clôtures, essayez d'attirer l'attention vers le centre. Un massif surélevé est une bonne solution et devient l'intérêt majeur du jardin. Dans ce cas, il reste suffisamment de place sur la gauche pour quelques sièges et un coin barbecue.

❧ PAGE DE GAUCHE, EN BAS

Si le jardin devant votre maison est minuscule, cet exemple devrait vous convaincre qu'on peut malgré tout créer un bel espace. L'entrée d'inspiration japonaise démontre que la forme et la structure, ainsi que la couleur, peuvent jouer un rôle tout aussi important qu'une profusion de plantes.

❧ CI-DESSOUS

Un jardinet derrière la maison peut avoir tout le charme et l'élégance d'un jardin traditionnel, plus souvent associé à une grande demeure de campagne. La structure raffinée du jardin, déclinée sur un thème de blanc et d'argenté, fait un ensemble harmonieux. La couleur de la structure et du socle, une fois les floraisons achevées, met en valeur le vert des arbres et des bordures de buis *(Buxus sempervirens)*.

QUELQUES IDÉES

Pour tirer parti au maximum d'un petit espace, attirez le regard en hauteur avec un élément vertical, comme un bassin à oiseaux, un mur élevé orné de pots, ou encore un treillage habillé de grimpantes ou peint de couleurs vives.

▶ CI-DESSUS

Ce terrain étroit est typique de nombreux jardins de ville derrière la maison. La présence d'une allée rectiligne, menant à la porte, limite les possibilités de plan ; le gravier, dans ce cas, est plus adapté que des dalles de béton qui auraient renforcé la rigidité de l'allée.

L'arche transforme de manière agréable la banale porte du fond. Malgré la contrainte de dimension et de forme, il y a malgré tout de nombreuses choses à découvrir dans ce jardin. La densité des plantations contribue à faire oublier le manque d'éléments structurels.

▶ PAGE DE DROITE, EN BAS

Lorsque le jardin est exigu, vous pouvez le concevoir à la verticale. Si la surface occupée au sol est très limitée, sa décoration jusqu'au premier étage, lui donnera couleur et intérêt. Les nombreuses plantes à feuillage décoratif, bien employées ici, durent tout l'été.

⚘ CI-DESSUS

Même lorsque le jardin se limite à une bande étroite, coincée entre la maison et le trottoir, il est possible de créer aussi bien en ville qu'à la campagne, une atmosphère tout à fait étonnante. Le mieux est d'éviter toute tentative de « paysagisme » et d'opter pour des plantations très denses d'annuelles colorées pour l'été, et de bulbes pour le printemps. Les floraisons gagnent même la façade grâce à la présence de jardinières et de paniers suspendus qui donnent à ce massif une note verticale. Dans un jardin aussi petit, l'arrosage régulier qui s'impose est loin d'être une corvée.

La peinture blanche de la façade contribue à mettre parfaitement en valeur les paniers suspendus de ce minuscule jardin.

Conseils pratiques

UN JARDIN CLOS EN BEAUTÉ

Un mur ou une clôture sans attrait gagnent à être habillés de grimpantes et d'arbustes palissés, qui risquent toutefois de faire paraître l'espace plus fermé. Si la vue au-delà du jardin est séduisante, transformez les limites en un élément décoratif.

❧ CI-CONTRE
UNE PALISSADE Une palissade s'avère toujours plus décorative qu'une clôture pleine ou à lattes jointives. Habituellement, on la teint couleur bois ou on la peint en blanc, mais n'hésitez pas à sortir des sentiers battus, comme ici, en peignant une partie d'un rose pastel assorti

aux rosiers, et une autre d'un bleu-gris pour différencier les deux propriétés.

SUGGESTIONS *Gardez en mémoire les couleurs des fleurs dans les massifs proches, non seulement à l'époque de l'année où vous peignez la clôture, mais aussi durant le reste de l'année.*

❧ CI-DESSUS
UNE CLÔTURE DÉCORATIVE Si vous vous entendez bien avec vos voisins et que vous souhaitez que votre clôture laisse passer un peu de lumière, optez pour une clôture « à fenêtres ». Ce principe s'adapte particulièrement bien dans un petit jardin et se conçoit selon les goûts de chacun.

SUGGESTIONS *Pour entretenir parfaitement vos clôtures, passez au moins une fois par an une nouvelle couche de produit de protection ou de peinture. Si vous transformez votre clôture en élément de décoration, ne la dissimulez pas sous des grimpantes, des arbres ou des arbustes, et favorisez un accès facile pour pouvoir la peindre ou la traiter sans problème.*

CI-CONTRE

UNE CLÔTURE ATTRAYANTE Une ancienne clôture a été doublée d'un treillage garni de grimpantes, comme des clématites et des rosiers. La sculpture apporte une touche inattendue, constituant un élément de décoration précieux en hiver, une fois que tout le feuillage est tombé.

SUGGESTIONS Si vous estimez qu'un tel treillage est trop dénudé en hiver, ajoutez une grimpante persistante comme le lierre, sachant toutefois que ces plantes qui s'enroulent autour de leur support gênent considérablement l'entretien du treillage et de la clôture.

CI-DESSOUS

UN MURET-JARDINIÈRE Pour clore le jardinet devant la maison, un muret est souvent préférable à un grand mur terne. Mais, pour éviter la monotonie d'un long muret de pierre, l'idéal est, comme ici, qu'il soit transformé sur toute sa longueur en jardinière abondamment fleurie. Afin de créer une unité, on a retenu sur le muret le même mélange de plantes que dans les massifs du jardin.

SUGGESTIONS Un muret suffit dans un jardin de ville, où l'intrusion d'animaux n'est pas à craindre. Dans ce cas, on peut également envisager une simple butte de terre, plantée au sommet d'un massif, visible des deux côtés.

Conseils pratiques
L'ENVERS DU DÉCOR

Dans le plan du jardin, n'oubliez pas une place pour les éléments utilitaires – un endroit pour la poubelle, pour faire sécher le linge, et un emplacement pour un barbecue permanent.

Le jardin le plus séduisant deviendra une source d'irritation s'il ne comporte pas de place pour étendre le linge, ou si l'accès à la poubelle est peu commode.

CI-CONTRE FAIRE SÉCHER LE LINGE
Dans ce petit jardin, le seul endroit pour faire sécher le linge était la surface pavée montrée ci-contre. On a opté pour un étendoir, dont le socle, installé à la place d'une dalle, est bien caché par des galets. Ainsi on peut enlever facilement l'étendoir quand on ne l'utilise pas, et dégager l'espace de cet objet encombrant.

SUGGESTIONS
Évitez si possible la corde à linge qui traverse tout le jardin à un superbe emplacement. À moins de l'enlever après chaque utilisation, elle divisera visuellement le jardin. On peut aussi masquer complètement un étendoir par un mur-écran dans un emplacement adéquat.

⚘ CI-CONTRE
LE BARBECUE
Même si vous ne l'utilisez pas fréquemment, un barbecue permanent donne l'impression d'un jardin bien pensé et conçu judicieusement. Il suffit de construire les parois du barbecue et d'y intégrer des grilles spécifiques.

SUGGESTIONS
Avant d'établir le plan, il est important d'obtenir des précisions du fabricant d'un barbecue en kit. Muni des dimensions exactes, il sera simple d'intégrer les grilles dans des parois.

⚘ CI-DESSOUS
LA POUBELLE Dans un recoin d'un petit jardin, ce type de construction peut abriter un barbecue ou un espace pour la poubelle, selon l'usage qu'on veut en faire.

SUGGESTIONS Si possible, regroupez les éléments utilitaires dans le même recoin, afin de les dissimuler du reste du jardin.

⚘ CI-DESSUS
LES DRAINS L'inspection d'un regard de drains semble banale, mais le réseau de drains est important lorsqu'il s'étend au sein d'une partie essentielle du jardin, comme la terrasse ou la pelouse. Ces regards métalliques inesthétiques attirent immédiatement l'attention et jurent par rapport aux autres éléments. Procurez-vous des regards comportant un vide pour accueillir des plantes, ou pouvant être recouverts du revêtement utilisé pour la terrasse, qu'on découpe précisément pour obtenir un aspect esthétique.

SUGGESTIONS N'essayez pas de cacher un regard sous une potée imposante : vous risqueriez d'obtenir l'effet inverse car on le remarquerait encore plus.

Conseils pratiques
ILLUSIONS D'OPTIQUE

Au jardin, le trompe-l'œil est utile car il donne l'illusion que l'espace est plus grand ou plus abondamment planté qu'en réalité. Il a sa place partout, mais s'avère particulièrement précieux dans les petits jardins.

❧ CI-DESSUS

AU-DELÀ DE LA PORTE La présence d'une porte ou d'un portail au fond du jardin suggère la possibilité d'en explorer une autre partie. Sur cette photo, la grande porte fait partie intégrante du jardin et l'embellit. On peut s'arranger avec son voisin pour créer une telle porte décorative entre les deux propriétés. Si l'on est en bons termes avec lui, on peut même utiliser cette porte ; sinon, la gardera fermée. Dans les deux jardins, on aura l'impression que l'espace s'étend bien au-delà de ses vraies limites.

SUGGESTIONS *Dans les deux jardins, il est bon qu'une allée mène à la porte, afin de renforcer l'illusion qu'il y a vraiment une autre partie à explorer.*

❧ CI-CONTRE

TROMPE-L'ŒIL PEINT Si vous avez des talents artistiques, ou si pouvez compter sur quelqu'un qui a de tels dons, la peinture d'une fausse perspective, suggérant la continuité d'une allée ou d'un massif, s'avère étonnamment convaincante. Ici, l'allée tourne à gauche juste avant la porte, mais au premier coup d'œil, elle donne l'impression de continuer tout droit.

SUGGESTIONS *Ce type de trompe-l'œil paraît bien plus convaincant lorsque le décor semble se prolonger au-delà d'une porte ou d'un portail.*

❦ CI-CONTRE
UN SENTIER SANS FIN Des plantations denses à l'extrémité d'un jardin, avec de grands arbustes ou des arbres, peuvent suggérer que la propriété continue bien au-delà, même si l'allée tourne ou ne mène nulle part. L'effet est encore plus saisissant en été, lorsque le feuillage des plantes est pleinement développé.

SUGGESTIONS *Un sentier donne l'illusion d'être plus long s'il devient de plus en plus étroit à son extrémité. Des plantations denses sur le périmètre du jardin contribuent également à laisser croire que le terrain se prolonge au-delà.*

❦ CI-DESSOUS
UN TREILLAGE EN TROMPE-L'ŒIL Pour égayer un mur uni et monotone, n'hésitez pas à poser un treillage en trompe-l'œil qui donnera l'illusion d'un espace plus grand.

SUGGESTIONS *Si vous utilisez un treillage aussi décoratif, évitez de le masquer sous la végétation d'arbustes palissés ou de grimpantes.*

Conseils pratiques
DES NOTES VERTICALES

Dans un grand jardin, les notes verticales sont généralement fournies par les arbres, mais dans un petit espace, elles viennent souvent des limites du terrain et des murs de la maison qui ont un côté oppressant mais qu'on peut adoucir en y palissant des grimpantes et des arbustes. N'oubliez pas le rôle précieux des arches, pergolas et treillages, notamment avant que les jeunes arbres, récemment plantés, n'aient pris toute leur ampleur.

**⊰ CI-CONTRE
VÉGÉTATION
LUXURIANTE**
Un jardinet ou une petite cour en ville procurent souvent presque un effet de claustrophobie, mais on peut tirer parti de leur nature confinée en les entourant d'une végétation luxuriante qui cachera les façades environnantes et créera un havre secret.

SUGGESTIONS
Ce type de plantation est plus adapté à un massif irrégulier, qui s'étale vers le centre, qu'à une plate-bande étroite et rectiligne. Privilégiez des potées de plantes persistantes et panachées, en installant les plus petites en bordure et les grimpantes et les plus grandes au fond.

UN SUPPORT ÉLÉGANT Les plantes grimpantes requièrent un support adapté : des fils de fer, étirés le long d'un mur, ou un treillage, plus décoratif, surtout si le mur n'est pas esthétique, et qui reste ornemental lorsque la plante est défleurie.

SUGGESTIONS *Prolongez le treillage au-dessus du mur ou de la clôture, surtout s'ils sont peu élevés. Vous pourrez mieux palisser les tiges épineuses du rosier qui risqueront moins de vous piquer.*

❧ CI-CONTRE

UNE ALLÉE SOUS LES ARCHES Cette allée d'arches a été conçue pour fournir une note verticale dans cet espace dégagé au centre, où seules la maison et la clôture donnent de la hauteur. En outre, elle crée un couloir reliant les deux parties différentes du jardin. Une fois que les grimpantes auront recouvert les arches, l'effet de tunnel sera accentué.

SUGGESTIONS *Dans un petit jardin, mieux vaut installer une pergola ou une succession d'arches de façon à ce qu'on ne devine pas l'ensemble du jardin au premier coup d'œil.*

❧ CI-DESSUS

UNE FAÇADE HABILLÉE DE ROSES N'hésitez pas à habiller les façades de votre maison. Il est tentant d'utiliser des grimpantes persistantes, comme le lierre, mais si les murs sont attrayants, préférez des caduques à fleurs, tels les rosiers et glycines.

SUGGESTIONS *Les grimpantes caduques sont parfaites contre une façade peinte. Mais il n'est pas toujours pratique de les détacher pour repeindre la maison. Préférez des grimpantes moins exubérantes.*

❧ CI-DESSUS

UN ÉCRIN VÉGÉTAL CONTRE LA MAISON Dans un jardin minuscule, tirez parti de l'espace vertical en habillant les façades de la maison. Ici, un fusain persistant panaché (une variété d'*Euonymus fortunei*), flanqué d'un pyracantha qui peut monter plus haut, de part et d'autre, décore le pied de la fenêtre.

SUGGESTIONS *Les arbustes persistants s'imposent dans un tel cas, mais gagnent à être égayés de fleurs vivement colorées à leur pied.*

Conception et réalisation
Un salon de verdure

Pour changer un jardin de plain-pied, sombre, en un agréable salon de verdure, il suffit de bien le dessiner et le planter. L'avantage d'un petit espace est qu'une telle transformation ne revient pas cher, vu le peu de plantes qui y tiennent.

CONCEPTION

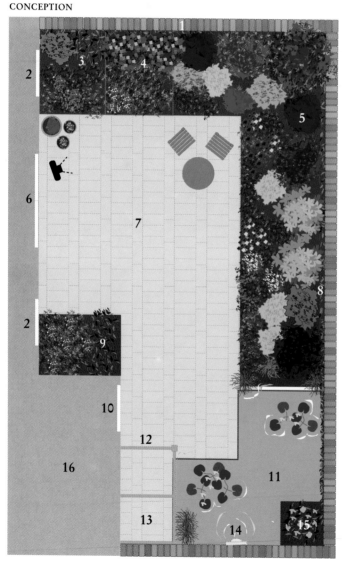

Une cour sombre, en ville semble a priori peu propice pour accueillir un beau jardin. Mais on peut la métamorphoser facilement en peignant les murs en blanc pour réfléchir le plus de lumière possible, en concevant quelques jardins suspendus pour créer des effets de plantations denses, en aménageant un bassin, et en achetant des meubles de jardin élégants.

Dans un tel jardinet, les éléments utilitaires, comme la poubelle, trouvent difficilement une place. La meilleure solution est de les dissimuler dans un endroit où on ne les verra pas depuis le coin repos. Remplacez la corde à linge par un étendoir qu'on enlève dès qu'il ne sert plus. Masquez la poubelle dans l'alcôve formée par la pergola.

RÉALISATION

JARDIN SUSPENDU

Pour surélever les massifs contre la maison, l'idéal est de créer des jardins suspendus de préférence en briques, ce matériau s'harmonisant généralement mieux à la maison que le béton ou la pierre reconstituée.

Il est très simple et rapide d'édifier un muret, si la fondation est bien préparée. On peut toujours s'adresser à un professionnel si besoin.

ÉDIFIER UN JARDIN SUSPENDU

1 Tous les murs doivent reposer sur une fondation. Pour un muret, l'épaisseur d'une simple rangée de briques suffit, mais il faut une double rangée pour un mur plus haut. Creusez une tranchée d'environ 30 cm de profondeur, et installez au fond près de 12 cm de cailloutis tassé. Enfoncez des piquets dont le haut sera à la hauteur finale de la base. Mettez à niveau.

2 Remplissez un mélange d'1 part de ciment, 2 parts de sable fin et 3 parts de gravillons, et nivelez le tout au sommet des piquets. Dès que le béton a pris (1 à 2 jours), posez les briques sur un lit de mortier en versant du mortier entre chacune. Pour une meilleure stabilité, prévoyez un pilier à chaque extrémité, et tous les 2-2,50 m si le mur est long.

3 Pour les assises suivantes, posez du mortier au sommet du rang précédent, puis « beurrez » une extrémité de la brique à poser. Mettez à niveau en vérifiant constamment au niveau à bulle. En guise de finition, recouvrez le mur d'un chaperon spécifique.

Conception et réalisation
UN JARDIN PRIVÉ

L'intimité peut être importante dans un petit jardin, surtout s'il est dominé par les propriétés voisines. Pour supprimer ces vis-à-vis gênants, une solution est d'entourer le jardin de nombreux grands persistants. Une fois ce rideau établi, il suffit d'ajouter des éléments décoratifs au milieu de l'espace afin d'attirer le regard vers l'intérieur et d'éviter toute sensation de claustrophobie.

LÉGENDES DU PLAN

1 Conifère	7 Dalle décorative
2 Arbuste persistant	8 Plantations saisonnières
3 Couvre-sols	9 Plantes en pots
4 Arbuste persistant	10 Terrasse
5 Gravier	11 Salon de plein air
6 Potée de plantes et éléments décoratifs	12 Terrasse en opus incertum
	13 Maison

🎥 lieu de la prise de vue

Ici, toutes les plantes vivement colorées abondent au centre du terrain, tandis que le pourtour du jardin se compose de plantations denses de grands persistants, notamment des conifères, qui contribuent à créer une sensation d'intimité et d'isolement.

Pour éviter l'effet trop monotone d'une allée principale rectiligne, courant longitudinalement au centre du jardin, le cheminement a été brisé par la présence, çà et là, de dalles décoratives et de gravier. En mélangeant les matériaux de revêtement et en traçant l'allée de façon irrégulière, le regard se tourne vers les massifs fleuris, au lieu de se limiter à suivre l'allée.

POTÉES FLEURIES
Pour obtenir de superbes potées fleuries, préférez des pots suffisamment volumineux, pouvant contenir une bonne quantité de substrat et un grand nombre de plantes.

CONCEPTION

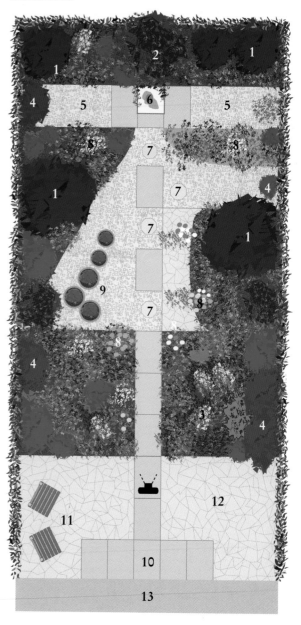

CRÉEZ UNE POTÉE FLEURIE POUR LA TERRASSE

1 Une potée de plantes étant lourde à déplacer, procédez à son emplacement avant de la remplir de substrat. Couvrez les trous de drainage d'une couche de tessons, de gros gravier ou d'écorce broyée.

2 Choisissez un substrat à base de terre de jardin ; pour les pots disposés en un lieu où le poids est important, comme sur un balcon, préférez un substrat plus léger, à base de tourbe.

3 Au milieu du pot, installez une plante grande ou imposante, comme une *Cordyline australis* ou un fuchsia, ou bien une plante à grosses fleurs, tel le dimorphotéca *(Osteospermum)*, retenu ici.

RÉALISATION

4 Autour de la plante centrale, disposez quelques plantes plus petites et buissonnantes. Choisissez des fleurs si l'élément central est une plante verte, et vice versa.

5 Recouvrez la surface du substrat d'un beau paillis, comme l'écorce broyée, qui outre son aspect décoratif, contribue à maintenir l'humidité. Arrosez copieusement et régulièrement durant toute la belle saison.

Conception et réalisation
LA CONTRAINTE DES MURS

Les murs d'un petit jardin clos peuvent être oppressants. Les masquer d'arbustes persistants et de conifères renforce la petitesse de l'espace. Ici, le centre est bien dégagé et le mur du fond, habillé d'un treillage élégant, s'avère très décoratif.

CONCEPTION

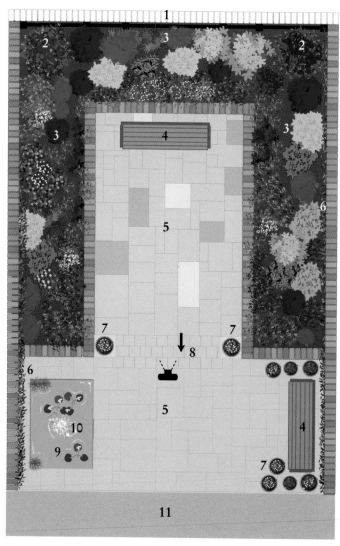

Un treillage aussi élégant que celui choisi ici crée un effet immédiat, et sera rapidement dissimulé sous une végétation assez dense, destinée à faire oublier l'aspect terne ou oppressant des murs. Peint en blanc, un treillage tranche toujours sur un fond de feuillage vert, mais n'hésitez pas à le peindre d'un ton foncé, surtout si le mur est blanc ou d'une couleur pâle.

Dans le jardin suspendu, les plantes mises en place vont camoufler rapidement les parties les plus tristes du mur. Le changement de niveau qu'il apporte sur la terrasse suscite un intérêt, de même que la présence d'un bassin, doté d'une fontaine, dont on peut jouir depuis un banc bien placé.

DES NÉNUPHARS
Plantez des nénuphars au printemps, avant que leurs feuilles ne s'étalent complètement. Installez les souches dans un panier à maille spécifique ou dans un récipient aux bords pleins, comme un seau.

RÉALISATION

PLANTER UN NÉNUPHAR

1 Utilisez un substrat lourd, pas trop riche en éléments nutritifs (si possible un mélange spécial plantes aquatiques).

2 N'ajoutez pas d'engrais ordinaire au substrat afin d'éviter la prolifération d'algues. Préférez un engrais à action lente.

3 Dépotez le nénuphar et plantez-le dans le nouveau pot, à la même profondeur que dans son précédent godet.

4 Ajoutez une couche de gravier en surface pour éviter que les poissons ne dérangent le substrat et pour favoriser son maintien quand on immerge le pot.

5 Afin d'éviter que l'eau ne devienne boueuse quand on immerge le pot, arrosez-le copieusement et laissez l'eau s'écouler à la base.

6 Placez le pot dans une partie peu profonde, surtout si le nénuphar est sur le point de sortir des feuilles. Attendez une semaine ou deux avant de l'immerger.

Conception et réalisation
DES FORMES GÉOMÉTRIQUES SIMPLES

Un jardin miniature gagne à être structuré par
des formes géométriques simples. Ici, le choix de plantes
transforme un terrain banal en un espace étonnant et
bien conçu, offrant un attrait évident malgré sa taille.
Le jardin s'articule autour d'une pelouse miniature en
losange, au centre, contre la partie oblique du sentier.

CONCEPTION

LÉGENDES DU PLAN
1 Clôture métallique
2 Portail
3 Arbuste remarquable
4 Arbustes nains et vivaces persistantes
5 Allée de pavés en argile, avec une bordure torsadée
6 Gazon aromatique de menthe tapissante, entouré d'une bordure en briques
7 Baie vitrée
8 Maison

📷 lieu de la prise de vue

Dans un jardin minuscule, évitez
de scinder l'espace en deux parties
encore plus petites par une allée
rectiligne, menant du portail à la
porte d'entrée, mais n'hésitez pas
à adopter un plan tout simple. Ici,
en plaçant le portail vers le milieu
de la clôture, on a créé une ligne
forte, tout en variant le volume
des massifs pour ménager des
plantations plus intéressantes.
Ce jardin aurait pu rester austère
sans la présence insolite du gazon
de menthe, sur lequel il sera doux
de s'asseoir, et dont la texture
particulière joue un rôle important.
  Ci-contre, les plantations sont
encore jeunes : il faudra patienter
un an ou deux pour qu'il n'y ait
plus aucune trace de terre ou de
paillis entre les plantes.

UN GAZON AROMATIQUE
Pour tapisser un petit espace,
remplacez sans hésiter la pelouse
par un gazon de menthe rampante
ou de thym que l'on plante
pareillement (page suivante,
on a utilisé du thym).

RÉALISATION

PLANTER UN GAZON AROMATIQUE

1 Au moins un mois avant de planter, bêchez le carré en éliminant toutes les racines de mauvaises herbes. Binez les jeunes semis qui apparaissent entre-temps et ratissez bien le sol avant la plantation.

2 Arrosez les plantes avant de les dépoter, puis mettez-les en place, tous les 15-20 cm, pour déterminer l'emplacement et le nombre de plants nécessaires.

3 Dépotez les plantes et, si nécessaire, démêlez délicatement le chignon éventuel à la base de la motte.

4 Installez chaque plant à la même profondeur que dans le godet et tassez la terre autour des racines. Arrosez copieusement après la plantation et poursuivez des apports d'eau réguliers le premier été.

Conception et réalisation
CRÉER DES POINTS DE MIRE

Dans un jardin aussi minuscule que celui-ci, il suffit
d'attirer l'attention vers l'intérieur pour oublier la petitesse
de l'espace. La cheminée qui trône au milieu et les pots
qui l'entourent, constituent des éléments de décoration
sur lesquels le regard s'attarde.

CONCEPTION

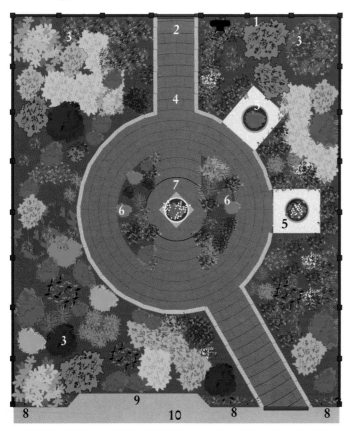

le style s'accordera à celui de
la maison. Dans ce cas, où
la maison constitue un élément
dominant, il est important que
la maison et le jardin s'harmonisent
autant que possible.

UNE BORDURE ÉLÉGANTE
Embellissez les massifs et le
sentier en les séparant par une
bordure élégante, qui reflète,
si possible, le style de votre jardin.
Si vous préférez un modèle
ancien, il existe des reproductions
de bordures d'époque.

AUTRES BORDURES

Pour une bordure insolite,
enterrez des bouteilles de vin
vides à l'envers, en ne laissant
dépasser que le cul de la
bouteille sur 2-3 cm. Dans
un jardin de bord de mer,
utilisez des grandes coquilles
Saint-Jacques en bordure.

Ici, des pots de différentes sortes
servent de points de mire, et
s'avèrent particulièrement précieux
à une époque de l'année où il y a
peu de couleurs et où les plantes
des massifs sont flétries. Comme
sur le plan de la page précédente,
l'allée n'est pas rectiligne et
ménage ainsi des surprises.

Si l'on a utilisé un revêtement
moderne pour l'allée, on la limitera
par une bordure torsadée dont

RÉALISATION

RÉALISER UNE BORDURE ÉLÉGANTE

1 Dans un jardin de style rétro, une bordure torsadée à l'ancienne s'impose le long d'une allée de gravier ou pavée.

2 Une bordure ondulée comme celle-ci rappelle certains styles de jardin d'autrefois, mais a tout à fait sa place dans un jardin contemporain pour assurer un effet raffiné.

3 Des rondins sciés sont une bordure robuste et séduisante pour surélever légèrement un massif de fleurs par rapport à la pelouse. N'oubliez pas que la tonte sera moins aisée le long d'une telle bordure.

Conception et réalisation

DES RECOINS PLEINS D'ATTRAIT

Au jardin, les recoins et les angles sont toujours difficiles à traiter. Voici un exemple fort réussi qui concilie parfaitement les lignes droites et les courbes, et qui prouve que l'on peut faire preuve d'audace pour concevoir un emplacement délicat.

CONCEPTION

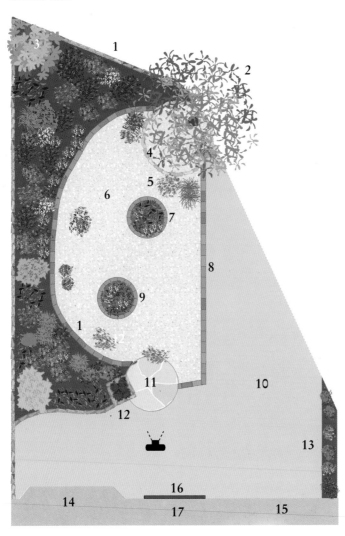

LÉGENDES DU PLAN

1 Muret
2 Bouleau
3 Plantations variées
4 Jardin suspendu circulaire
5 Plantations sur gravier
6 Gravier
7 Massif de vivaces, bordé de briques
8 Bordure en briques
9 Massif de plantes saisonnières, bordé de briques
10 Allée carrossable
11 Cercle dallé
12 Jardinière plantée
13 Arbustes nains
14 Baie vitrée
15 Garage
16 Porte
17 Maison

lieu de la prise de vue

Les angles du jardin sont difficiles à aménager, d'autant plus s'il faut y intégrer une allée carrossable.

Dans ce plan, on a surtout tiré parti du bouleau adulte, déjà en place, pour détourner le regard de l'allée inesthétique. La création d'un massif circulaire autour de l'arbre renforce son côté attrayant, et donne au jardin une unité : le thème circulaire est en effet répété avec plusieurs jardins suspendus, et un cercle dallé qui constitue un lien entre l'allée et la zone de gravier.

UNE SURFACE DE GRAVIER
Pour éviter tout problème de mauvaises herbes, mieux vaut poser le gravier sur un film plastique, ce qui n'empêche pas d'installer quelques plantes à travers ces deux matériaux, si besoin.

RÉALISATION

PLANTER À TRAVERS UNE SURFACE DE GRAVIER

1 Creusez l'espace pour 5 cm de gravier. Nivelez, puis couvrez de film plastique épais. Laissez se chevaucher deux bandes contiguës sur 5 cm au moins.

2 Recouvrez de gravier que vous nivelez en le ratissant. Pour installer une plante à travers le gravier, commencez par l'enlever à cet emplacement, puis fendez le film.

3 Plantez normalement à travers la fente, en enrichissant le sol si nécessaire, avec un apport d'engrais ou de compost.

4 Tassez la terre au pied de la plante et arrosez copieusement, puis remettez le film en place autour de la plante avant de le recouvrir de gravier.

Sélection de plantes

DES PLANTES POUR UN PETIT JARDIN

Dans un petit jardin, évitez les arbres de développements moyen à grand, tels les très grands arbustes ou les couvre-sols envahissants. Si vous ne résistez toutefois pas à l'envie d'une plante imposante, vous devrez la tailler régulièrement. Dans la mesure du possible, préférez des plantes naturellement compactes qui ne deviennent jamais trop encombrantes.

LES ARBRES PERSISTANTS

Si l'on excepte les conifères, il y a peu d'arbres persistants pour un petit jardin. En climat tempéré, peu d'arbres à cime large sont persistants, et souvent, ceux qui le sont, comme le chêne vert *(Quercus ilex)*, ont un développement trop important. En toutes régions, retenez le houx, vraiment coriace, qu'on peut tailler en cône ou mener sur tige avec un tronc bien apparent. En climat doux uniquement, offrez-vous une espèce rare, comme le *Drimys winteri*, qui est trop grand pour un jardin minuscule, mais ne pousse pas vite.

Le *Crataegus oxyacantha* (désormais rebaptisé *C. lavigata*) 'Rosea Flore Pleno' est une belle aubépine à fleurs doubles, roses, en mai. Ces arbres ne deviennent jamais trop grands.

Le *Drimys winteri*, une espèce rare du Chili, ne réussit qu'en climat doux où il constitue un grand arbuste ou un petit arbre fort intéressant, doté de grandes feuilles persistantes, coriaces, et de fleurs blanches, parfumées en mai.

LES ARBRES CADUCS

Dans un petit jardin, privilégiez les arbres qui restent petits et offrent plus d'un attrait. Ainsi, l'*Acer griseum*, qui, outre ses couleurs d'automne magnifiques, offre une belle écorce cannelle, encore plus belle avec la lumière de l'hiver. De nombreuses aubépines *(Crataegus)* constituent de beaux arbres compacts dans un petit jardin. Parmi les arbres à fleurs, préférez ceux à port fuselé, comme le *Prunus* 'Amanogawa'.

LES CONIFÈRES

Les conifères existent dans de nombreuses teintes d'or et de vert (parfois avec une note bleutée), ainsi que diverses formes et hauteurs. La grande majorité sont persistants. Hélas, la plupart deviennent bien trop grands pour un petit jardin. Choisissez ceux à port colonnaire, étroit, qui restent assez petits à l'âge adulte : *Juniperus scopulorum* 'Skyrocket', *Juniperus communis* 'Hibernica', *Taxus baccata* 'Fastigiata Aurea', et *Cupressus macrocarpa* 'Goldcrest', qui présente un port érigé et une couleur vive.

LES CONIFÈRES NAINS

Toute jardinerie offre un choix considérable de conifères censés rester nains, encore qu'il faille vérifier leur développement probable au bout de 10 à 15 ans. Ceux qui restent vraiment nains s'imposent dans une rocaille.

Le *Cupressus macrocarpa* 'Goldcrest' finit par prendre un développement moyen, mais avec son port étroit, il n'occupe pas trop de place au sol. Le jeune feuillage est d'un jaune séduisant.

Parmi ceux à port arbustif, figurent *Thuja orientalis* 'Aurea Nana', *Thuja occidentalis* 'Rheingold' et *Chamaecyparis pisisfera* 'Filifera Aurea'. Le *Juniperus squamata* 'Blue Star' est très compact. Beaucoup d'autres conifères sont tapissants et s'étalent largement sans trop pousser en hauteur.

LES ARBUSTES PERSISTANTS

Les arbustes persistants offrent un grand choix de plantes, petites et grandes. En sol acide, plantez des rhododendrons en vous méfiant toutefois de leur développement

De croissance lente, le *Thuya occidentalis* 'Rheingold' forme une masse ovale ou conique qui reste toujours élégante. Son coloris vieil or est très séduisant en hiver.

car certaines espèces deviennent très imposantes, tandis que d'autres cultivars sont des miniatures idéales en rocaille ; choisissez une variété d'un développement adapté à l'utilisation souhaitée. Les Hebe offrent également une diversité de formes et de tailles, mais sont rustiques uniquement en climat doux, et idéales en bord de mer. Les bruyères persistantes s'imposent dans un petit jardin car elles sont toujours compactes ; préférez notamment celles à floraison hivernale, comme les variétés d'*Erica carnea*.

L'*Hebe* × *franciscana* 'Variegata' est un arbuste nain persistant, au feuillage panaché. Il faut le réserver aux climats les plus doux, car il n'est pas très rustique.

LES ARBUSTES CADUCS

Le problème de nombreux arbustes caducs est leur courte période d'intérêt : parfois leur floraison ne dure pas plus de deux semaines. Pour utiliser au mieux l'espace, préférez un arbuste à feuillage doré ou panaché, ou bien sélectionnez ceux à floraison précoce, tel *Chaneomeles*, en fleur dès février-mars ou ceux qui offrent un attrait tardivement, comme *Cotoneaster horizontalis*, avec ses baies éclatantes et son feuillage d'automne vivement coloré. Les hydrangéas gardent très longtemps leurs fleurs qui, même une fois fanées, demeurent intéressantes tout l'hiver.

La couleur des fleurs de l'*Hydrangea macrophylla* dépend de la nature du sol ; elle passe du rose en sol alcalin au bleu en sol acide.

LES VIVACES

Toutes les vivaces ont une place dans un petit jardin, hormis quelques-unes envahissantes. Préférez celles à floraison précoce ou tardive et celles qui restent attrayantes longtemps. Les lupins sont magnifiques pendant quinze jours en juin, mais manquent singulièrement d'intérêt par la suite. Retenez plutôt des plantes à très longue floraison estivale

Les doronics ne fleurissent plus du tout pendant l'été, mais offrent une magnifique floraison jaune vif, en avril-mai.

ou à feuillage séduisant. Avec leurs fleurs jaune vif, les doronics ouvriront la saison dans les massifs, tandis que les *Schizostylis* et les variétés et hybrides de *Sedum spectabile* la termineront en beauté, tard dans l'automne.

LES VIVACES PERSISTANTES

Lorsque vous visitez des jardins durant l'hiver, notez les vivaces qui restent persistantes. S'il n'y en a pas beaucoup, elles s'avèrent indispensables par leur décor permanent durant les mois les plus tristes. Parmi ces plantes, figurent les bergénias, ajugas et *Stachys byzantina*.

L'*Ajuga reptans* 'Atropurpurea' constitue une bordure pourpre, de toute beauté, qui est pratiquement persistante et pousse aussi bien au soleil qu'à l'ombre.

LE JARDIN EN FAMILLE

Certains jardins sont conçus avant tout pour être admirés, d'autres pour y vivre – un lieu où les enfants peuvent s'amuser et les adultes se détendre et apprécier un repas avec des amis. Cependant, un jardin bien pensé doit concilier l'aspect esthétique et le côté facile à vivre.

La présence d'enfants dans un jardin demande beaucoup d'attention au préalable, non seulement parce qu'ils exigent un espace de jeux, pas toujours compatible avec le type de jardin dont vous rêvez, mais aussi parce que les plantes qui bordent ces espaces doivent être plus résistantes pour supporter les ballons ou les bagarres. De plus, on évitera d'y mettre des plantes épineuses, comme des rosiers, pour ne pas risquer de blessures inutiles.

Si vous avez de jeunes enfants, renoncez à l'idée d'aménager un bassin, à moins de bien le protéger ; cependant, l'installation d'une barrière de protection est souvent inesthétique et bien peu engageante. Il est préférable d'opter pour un jeu d'eau sans eau stagnante tant que les enfants sont jeunes.

❧ CI-DESSUS
Pour profiter du jardin en famille, il faut aménager un endroit où recevoir et se détendre.

❧ PAGE DE GAUCHE
L'espace de jeux des enfants n'est pas forcément dépourvu de raffinement.
Ainsi, on peut transformer la balançoire en élément décoratif plutôt que de la dissimuler.

QUELQUES IDÉES

Les enfants apprécient également le jardin des adultes, notamment s'il comporte des plantes intéressantes – des arbustes à feuillage impressionnant, ou des plantes insectivores – qui stimulent leur imagination et leur intérêt au fil des saisons.

⚘ CI-DESSOUS

On peut intégrer un espace de jeux dans le plan du jardin aussi facilement que toute autre structure décorative. Ici, le bac à sable est placé entre deux allées recouvertes d'un plancher en bois, avec un autre petit terrain de jeux derrière le massif de fleurs. Ce massif intègre avantageusement l'aire de jeux au jardin.

❦ CI-DESSUS

Les enfants vont s'en donner à cœur joie avec l'échelle de corde et cette structure en bois, construite entre le massif et le mur. Une fois qu'ils auront passé l'âge de s'y intéresser, il sera très simple de démonter ces agrès, et inutile de redessiner le massif.

❦ CI-CONTRE

Si ce jardin semble plutôt destiné aux adultes, les enfants seront toutefois fascinés par son aspect de grotte, magique et enchanteur.

L'éclairage d'une partie du jardin permet d'en profiter pleinement, durant les chaudes soirées d'été.

QUELQUES IDÉES

Il est tout à fait possible de trouver un style de jardin qui séduise autant les parents que les enfants. Un jardin bien conçu pourra comporter une aire de jeux sûre pour les enfants et un salon de plein air où toute la famille aime se réunir et prendre les repas.

❧ CI-DESSUS

Les enfants en âge de faire du trampoline n'ont pas besoin d'être surveillés de près. Puisqu'il ne s'agit pas d'un élément ornemental, il est préférable de le dissimuler dans un coin à l'écart, en évitant de le placer sur un revêtement en dur. Ici, le trampoline repose sur une surface engazonnée, isolée de la maison par des massifs d'arbustes.

❧ PAGE DE DROITE

La pelouse est vraiment indispensable pour que les jeunes enfants puissent s'amuser en toute sécurité. Mais il est parfois difficile d'intégrer de grands éléments, comme une balançoire ou une bascule. Ici, la balançoire est placée de façon à pouvoir surveiller les enfants depuis la maison. Quand les enfants auront grandi, il sera facile de la démonter, sans modifier le jardin.

Conseils pratiques

MANGER DEHORS

Quelle que soit la superficie de votre jardin, vous devrez considérer certaines exigences spécifiques pour bien en profiter en famille. Ainsi, si vous recevez beaucoup, un barbecue et un salon de plein air s'imposent en tout premier lieu. Si vous prenez peu de repas à l'extérieur, mais avez de jeunes enfants, l'important est que le jardin comporte une pelouse et une aire de jeux où ils pourront s'amuser en toute sécurité.

Il est bien plus agréable et délassant de prendre les repas au jardin que dans la salle à manger. Le barbecue est une source d'amusement pour les enfants, et facilite en outre grandement la préparation de la cuisine, faite sur place.

◀ **CI-DESSOUS**
DE LA COULEUR PLEIN LES YEUX
Une jolie nappe colorée transforme immédiatement une table triste. Ajoutez quelques pots de plantes en fleur, ou un simple bouquet, pour la touche finale.

SUGGESTIONS *N'hésitez pas à déplacer la table dans le jardin selon les occasions, afin de profiter des floraisons successives. Choisissez des nappes colorées pour égayer les repas.*

⚘ CI-DESSOUS

DE LA LUMIÈRE AU JARDIN Même le dîner le plus simple devient une véritable fête pour les enfants s'il est pris au jardin à la nuit tombée. Pour l'éclairage, adaptez des ampoules sous un parasol.

SUGGESTIONS *L'éclairage transforme le jardin à la tombée de la nuit. Mais prenez garde à l'utilisation des spots ; dans la mesure du possible, assurez-vous qu'ils sont bien dirigés vers le bas et non vers le haut pour ne pas risquer d'éclairer la maison voisine. Ici, le parasol s'avère utile pour diffuser la lumière vers le bas.*

⚘ CI-DESSUS

EN TOUTE SIMPLICITÉ Un bouquet de fleurs et de feuillages fraîchement cueillis, une salade assaisonnée de fines herbes et une assiette de fraises, voilà les ingrédients d'un repas au jardin, bucolique à souhait. Pour un déjeuner rapide, privilégiez la simplicité ; dans un environnement aussi propice à la détente, vous l'apprécierez tout autant qu'un repas gastronomique.

SUGGESTIONS *Ne vous contentez pas d'une finition en bois naturel. Vous pouvez peindre la table et les chaises pour en faire un décor original.*

⚘ CI-CONTRE

UNE TABLE MANIABLE Ce petit jardin comprend tous les éléments indispensables à la vie en plein air : un joli cadre, un barbecue permanent et une bouteille de vin ! Inutile d'avoir un grand jardin, tout cela peut tenir dans un petit espace.

SUGGESTIONS *Dans un petit jardin ou un salon de plein air, optez pour une table légère, facile à porter et à ranger, qui n'occupe pas l'espace dès qu'elle ne sert plus.*

Conseils pratiques
S'ASSEOIR EN BEAUTÉ

Au soleil sur la terrasse ou à l'ombre d'un arbre, disposez des sièges adaptés à l'extérieur – banc, fauteuil en teck ou autres – pour profiter pleinement de la vie en famille, ainsi que de la vue des massifs et du calme apaisant du jardin.

❦ CI-CONTRE
UN FAUTEUIL DÉCORATIF Une niche spécialement conçue pour abriter un fauteuil de plein air donne au jardin un aspect bien conçu et structuré.

SUGGESTIONS *Avant de commencer la construction, prenez les dimensions exactes du siège pour aménager la niche sur mesure.*

❦ CI-DESSOUS
UN BANC EN BOIS Les enfants apprécieront certainement ce banc original, de conception toute simple, qui est fabriqué avec une ancienne traverse de voie de chemin de fer.

SUGGESTIONS *Réservez ce type de banc à un espace naturel du jardin auquel il s'intègre bien, par exemple près d'un bosquet d'arbres.*

❧ CI-CONTRE
UN SIÈGE IMPROVISÉ Insolite et amusant à réaliser, un siège improvisé s'avère souvent fort décoratif. Les enfants adoreront s'asseoir sur ce vieux rouleau de jardin, idéalement placé sur un fond de mini-haie taillée.

SUGGESTIONS *Installez pareil siège de façon à ce qu'il devienne un élément de décor du jardin.*

❧ CI-CONTRE
AU PIED D'UN ARBRE Un banc au pied d'un arbre suscite toujours des commentaires admiratifs, et plaît aussi bien aux enfants qu'aux parents. Ici, il devient un élément décoratif dans une partie du jardin qui, autrement, manquerait d'intérêt. Sa couleur blanche contribue à éclairer l'emplacement sombre et attire l'attention depuis le fond du jardin.

SUGGESTIONS *Si possible, choisissez un arbre doté d'un tronc large; en effet, un banc construit autour d'un arbre grêle aurait de mauvaises proportions et un impact moindre.*

Conseils pratiques

L'HEURE DE LA DÉTENTE

Dans tous les jardins, élégants ou rustiques, la présence de chaises longues ou d'un hamac est essentielle pour créer une atmosphère conviviale et reposante, donnant l'impression que ce lieu est une pièce supplémentaire où vit et se repose la famille en toute quiétude.

❧ CI-CONTRE

UN HAMAC Un arbre imposant peut devenir le support d'un hamac ou d'une balançoire pour les enfants. Toutes les générations de la famille se retrouvent dans un coin du jardin comme celui-ci.

SUGGESTIONS *Le meilleur emplacement pour un hamac est à l'ombre d'un arbre.*

❧ CI-DESSOUS

DES CHAISES LONGUES Les chaises longues sont faciles à déplacer dans le jardin. Choisies d'une couleur originale, elles constituent un élément décoratif.

SUGGESTIONS *Rassemblez deux ou trois chaises longues pour donner l'impression d'un plaisir partagé. Disposez une table basse pour des boissons rafraîchissantes.*

**⚘ CI-CONTRE
SALON DE
PLEIN AIR EN
BOIS** Les meubles
d'extérieur en
bois s'intègrent
facilement dans
un jardin et
seront plus
confortables
recouverts
de coussins.

SUGGESTIONS
*Installez votre
salon de plein air
le plus près
possible de plantes
parfumées.*

**⚘ CI-CONTRE
AUPRÈS D'UN
BASSIN** On
recherche parfois
un emplacement
calme où s'allonger
dans un isolement
absolu, pour lire
ou faire une sieste,
à l'écart du reste
de la famille
regroupée sur la
pelouse au soleil.

SUGGESTIONS
*Une chaise longue
aussi rudimentaire
peut devenir
un élément du
décor dans un
emplacement qui
sans quoi, serait
sans attrait.*

Conseils pratiques

UN LIEU POUR JOUER

Les enfants aiment disposer de leur propre aire de jeux et s'amusent particulièrement dans une maison miniature, ou une cabane perchée dans un arbre lorsqu'ils sont plus grands. Prévoyez-leur une partie du jardin où ils pourront jouer et chahuter, sans risquer d'abîmer les plantations.

❧ CI-CONTRE

À L'ASSAUT D'UN ARBRE Cet escalier conduit à une plate-forme construite autour d'un arbre, qui est moins ambitieuse qu'une cabane, mais tout aussi amusante pour les enfants.

❧ CI-DESSOUS

L'ESPRIT D'AVENTURE Un grand jardin s'avère nécessaire pour accueillir une structure de jeux aussi importante. Les agrès en bois rustique s'intègrent parfaitement au jardin. On a étalé de l'écorce broyée à la base pour adoucir les chutes éventuelles et éviter la formation d'un sol boueux, glissant, en hiver. Vérifiez toujours que de telles structures offrent une stabilité parfaite.

⚜ CI-CONTRE

UNE MAISON DE POCHE
Cette petite maison adorable, amusante avec son balcon et sa cheminée, a été construite sur pilotis ; on y accède par un escalier. C'est une maison de rêve pour des enfants pleins d'imagination. Vérifiez toujours qu'une telle construction sur-élevée ne présente aucun risque, et en cas de doute, consultez un spécialiste.

⚜ CI-DESSOUS

UNE MAISONNETTE DE JEUX
Si vous avez de la place sur la terrasse, n'hésitez pas à y amé-nager une maisonnette pour vos enfants que vous pourrez ainsi facilement surveiller. Peignez-la de la même couleur que la table et les meubles de jardin pour créer un effet d'unité.

Conception et réalisation

Un jardin de ville élégant

Ce jardin citadin est un endroit idéal pour
se détendre, loin des pressions de la vie
quotidienne. La dominance des verts et des
blancs dans le plan confère une unité au lieu
et une atmosphère paisible.

CONCEPTION

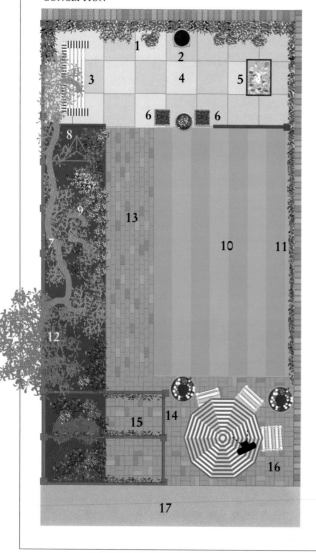

LÉGENDES DU PLAN

1 Haie	11 Grimpantes
2 Vasque	palissées contre
3 Balancelle	le mur
4 Terrasse dallée	12 Arbre remarquable,
5 Fontaine	taillé et mené le
6 Buis taillé	long du treillage
7 Treillage	13 Sentier en briques
8 Trépied pour	14 Pergola
les grimpantes	15 Grimpante palissée
9 Massif légèrement	sur la pergola
surélevé, garni de	16 Terrasse
plantations variées	17 Maison
10 Pelouse	

lieu de la prise
de vue

Voilà le type de jardin qui, d'emblée, attire
les adultes, notamment pour sa vaste pelouse,
propice à la détente et au repos. Un gazon
d'ornement, aussi raffiné que celui-ci, est trop
fragile pour être piétiné fréquemment ou pour
y jouer au ballon ; pour cela, mieux vaut le
remplacer par un espace dallé qui ne craint rien.
Ici, la pelouse est l'élément dominant du jardin,
donnant une impression d'espace dégagé.

L'arbre remarquable du côté gauche du
jardin a été mené de façon à ce qu'il s'étende
tout le long du terrain au lieu de le surplomber,
évitant ainsi le problème d'une ombre trop
dense. Un arbre de petite taille aurait été tout
aussi adapté à cet emplacement.

Cantonné au pied de l'arbre, le massif
associe des plantes saisonnières colorées, qui
apportent de la diversité au fil de l'année, à un
large choix de plantes persistantes.

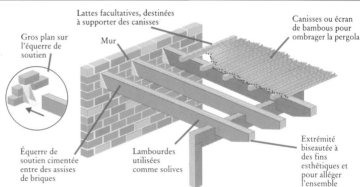

Lattes facultatives, destinées
à supporter des canisses

Gros plan sur
l'équerre de
soutien

Mur

Canisses ou écran
de bambous pour
ombrager la pergola

Équerre de
soutien cimentée
entre des assises
de briques

Lambourdes
utilisées
comme solives

Extrémité
biseautée à
des fins
esthétiques et
pour alléger
l'ensemble

↳ CI-CONTRE

**COMMENT ADOSSER UNE PERGOLA
À UN MUR** Une pergola s'avère précieuse sur la terrasse pour l'ombrage plus
ou moins dense qu'elle dispense. En
outre, elle crée un lien visuel entre la
maison et le jardin, et peut supporter une
ou plusieurs grimpantes selon son
importance. Généralement, elle s'adosse
à une façade de la maison, ou bien à un
mur du jardin.

Pour obtenir une structure plus fermée, avec un ombrage permanent et un
degré d'intimité plus important, il suffit

RÉALISATION

de recouvrir la pergola de canisses après
avoir disposé tout un réseau de lattes sur
les solives.

Veillez à ce qu'une pergola adossée
contre la maison soit suffisamment haute
pour dégager la ou les fenêtres, et ne pas
boucher la vue – surtout avec la végétation exubérante de grimpantes.

Utilisez des lambourdes comme
solives et fixez-les au mur à l'aide d'une
équerre de soutien (voir le schéma),
conçue avec un rebord qu'on lie avec du
mortier dans le mur. Une fois que le
mortier a pris, insérez la solive et clouez
une extrémité dans l'équerre. Vous trouverez ces équerres de soutien dans les
magasins de matériaux de construction et
de bricolage.

Dans le cas d'une pergola de taille
moyenne, une seule traverse au sommet
des poteaux suffit à maintenir les solives.
Mais pour une pergola plus importante,
il faut prévoir plusieurs autres traverses
intermédiaires.

Si vous souhaitez pouvoir ombrager la
pergola durant les fortes chaleurs de l'été,
il suffit de clouer des lattes parallèles au
mur sur les solives sur lesquelles vous
déroulerez et attacherez solidement des
canisses ou un écran de bambous, comme
le montre le schéma.

Procurez-vous des poteaux suffisamment solides pour supporter la structure
et scellez-les dans le sol en les bétonnant
ou en les fixant à des supports spécifiques pour poteaux.

Conception et réalisation

UNE MAISON POUR EUX

Il est souvent difficile d'adapter au sein du jardin les exigences des enfants. L'idéal est d'aménager leurs structures de jeux de façon à pouvoir les enlever facilement quand ils ne les utiliseront plus, évitant ainsi de laisser un vide gênant et d'avoir à redessiner le jardin. Ici, l'espace des enfants est séparé de la partie plus ornementale du terrain.

CONCEPTION

LÉGENDES DU PLAN
1 Maison perchée dans un gros arbre
2 Gazon rustique
3 Tanière créée par des arbustes
4 Maison de jeux
5 Bac à sable
6 Haie
7 Massif de fleurs
8 Pelouse
9 Plate-bande de vivaces
10 Maison

🎥 lieu de la prise de vue

L'espace dévolu aux enfants doit correspondre à leurs âges, ce qui n'est pas toujours simple lorsqu'une famille comprend plusieurs enfants. Mais ici, les structures attirent aussi bien les adolescents que les petits.

Dans ce jardin, il convient de surveiller les jeunes enfants, à cause des surfaces en dur et des plantes épineuses, comme les rosiers. Il faut également leur empêcher l'accès à la maison perchée, réservée aux plus grands ; ces derniers imagineront toutes sortes d'aventures dans la tanière et les cachettes secrètes du jardin.

Selon l'âge des plus jeunes, vous devrez ou non clôturer l'espace au-delà de la maison de jeux.

UNE MAISON POUR EUX
Ajoutez une note personnelle à la maison de jeux que vous avez achetée en kit. Vos enfants la trouveront encore plus séduisante s'ils participent à son embellissement et au choix de la peinture.

RÉALISATION

TRANSFORMER UNE MAISONNETTE

1 À l'origine, la maisonnette était simplement traitée contre le pourrissement du bois. Une touche de peinture verte sur le toit et les fenêtres a suffi à l'embellir.

2 La maison de jeux a été transformée par la pose de volets, d'un toit en ardoises synthétiques, et par la couche de peinture. On aurait pu la recouvrir d'une lasure teintée ou d'un produit de protection du bois.

3 Une petite faîtière et une bandelette décorative, ainsi qu'un panier suspendu, ornent le toit et achèvent de transformer la maisonnette.

Conception et réalisation

UN JARDIN POUR TOUS

Ce jardin est conçu pour que toute la famille et les amis puissent s'y retrouver. Pour ce faire, il comprend des bancs, un barbecue permanent, un bac à sable pour les enfants, et un grand espace pour jouer dans un environnement sûr et clos.

CONCEPTION

LÉGENDES DU PLAN

1 Mur peint en blanc
2 Mur palissé de grimpantes
3 Arbustes nains
4 Arche métallique
5 Banc
6 Pavage en briques
7 Marches
8 Barbecue dans un demi-cercle avec rebord en briques
9 Bac à sable
10 Arbustes
11 Traverse de voie de chemin de fer en bois
12 Terrasse pavée en briques
13 Maison

↑ sens de la montée des marches
↙ lieu de la prise de vue

De nombreux éléments de ce jardin lui donnent son cachet : les changements de niveau, divers endroits pour s'asseoir et se détendre, un pavage attrayant qui s'harmonise bien aux murs, des éléments de décoration originaux et une symétrie dans la construction.

On peut s'étonner que le bac à sable soit un élément central, mais quand les enfants ne l'utiliseront plus, il sera transformé en joli bassin circulaire, avec peut-être une fontaine qui créera un mouvement et des sons apaisants.

L'ÉCLAIRAGE

Un système d'éclairage dans le jardin permet de profiter des longues soirées d'été, et peut s'avérer utile pour emprunter un escalier dangereux. Si vous envisagez d'installer un système haute tension, faites toujours appel à un électricien compétent. Si, en revanche, vous optez pour un système basse tension, c'est assez simple à installer soi-même, mais en cas de doute, demandez l'avis d'un professionnel.

RÉALISATION

L'ÉCLAIRAGE DU JARDIN

1 Un système d'éclairage basse tension, en kit, est vendu avec un transformateur qu'il faut impérativement protéger des intempéries, en le mettant dans un lieu sec, à l'abri, ou dans un garage ou un appentis.

2 À l'aide d'une perceuse électrique, faites un trou assez large pour le câble, dans le chambranle de la fenêtre ou à travers le mur. Bouchez ensuite les interstices avec du mastic étanche.

3 Bien que le câble soit parcouru par une basse tension, il demeure un risque potentiel s'il n'est pas recouvert. Protégez-le dans un conduit, à moins que les lampes soient à proximité de la sortie du câble.

4 Les systèmes d'éclairage basse tension sont généralement conçus pour être facilement transportables ; il suffit de les piquer dans le sol à l'endroit voulu.

Conception et réalisation

DES LIGNES ET DES COULEURS

Dans ce jardin, l'impact des lignes fortes et des couleurs prévaut sur celui des plantations.

Il est conçu avant tout comme une pièce d'extérieur où prendre les repas et recevoir.

CONCEPTION

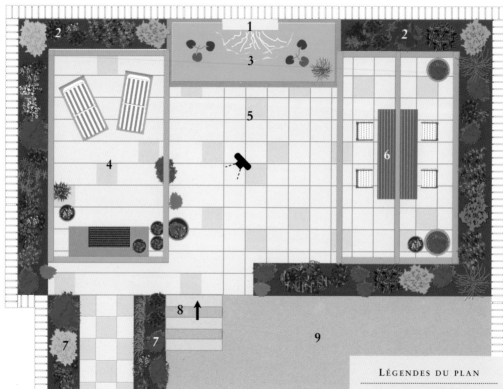

En général, le plan d'un jardin privilégie les plantations. Mais si pour vous, le jardin signifie davantage la détente et la vie en plein air, n'hésitez pas à regrouper les plantes dans quelques massifs adoucissant la présence des murs et des clôtures. Ce jardin, propice à la détente, est conçu pour recevoir et prendre les repas à l'extérieur.

À L'ABRI DU SOLEIL
Si l'on rêve tous de journées ensoleillées en été, il faut cependant se mettre à l'ombre d'un soleil trop puissant. Pour cela, utilisez un parasol ou un vélum, qui seront aussi beaux que pratiques, et deviendront des éléments de décoration.

LÉGENDES DU PLAN

1 Fontaine murale
2 Plantes variées de faible développement
3 Bassin
4 Barbecue et salon de jardin
5 Terrasse pavée
6 Coin repas avec pergola
7 Arbustes de faible développement
8 Escalier
9 Maison

↑ sens de la descente des marches
🔦 lieu de la prise de vue

❧ CI-DESSUS
Un parasol de ce type peut faire autant d'effet qu'un massif de fleurs et se transforme en objet de décoration.

RÉALISATION

❧ CI-DESSUS,
AU CENTRE
Un vélum constitue un brise-vent précieux par mauvais temps et dispense une ombre appréciable en été. Celui-ci se monte facilement : on glisse simplement la toile sur un cadre métallique.

❧ CI-DESSUS,
À DROITE
Voilà une structure fort élégante, qui apporte plein de couleurs au jardin, ce qui est appréciable s'il est peu fleuri. Imaginez la sensation d'intimité qu'on éprouve en partageant un repas à l'intérieur.

Conception et réalisation
UNE JUNGLE MAGIQUE

Ce jardin luxuriant avec ses changements de niveau et ses grandes plantes à feuillage imposant, dont un bananier, plaira autant aux grands qu'aux petits. On peut l'apprécier aussi bien en y prenant les repas qu'en y partant à l'aventure.

CONCEPTION

Si vous voulez entourer le salon de plein air d'un écran végétal, il suffit de faire une sélection de variétés spécifiques et les planter de façon très dense. Les changements de niveau et l'emploi d'arbustes pour masquer les différentes parties du jardin contribuent à en faire un lieu passionnant à explorer et idéal pour s'amuser.

Le choix des planchers en bois est particulièrement adapté dans ce cas, car ils se marient bien aux plantes, renforçant une atmosphère propre à une jungle.

La terrasse pavée fait le lien entre la maison et les plantations. On y laisse le barbecue, mais le coin repas est dégagé de tout objet qui gâterait son style.

PLANTES À FEUILLAGE IMPOSANT
L'impressionnant bananier constitue un élément primordial du jardin. En période de froid, il faut le mettre à l'abri dans une véranda ou une grande serre. Cependant, il existe de nombreuses plantes rustiques à feuillage imposant, dont une sélection judicieuse permet de donner

RÉALISATION

l'impression d'une végétation tropicale luxuriante.

Les plantes du schéma ci-contre préfèrent toutes un sol humide, comme celui d'un jardin marécageux. Mais vous pouvez les cultiver dans un massif ordinaire en utilisant un tuyau d'arrosage au goutte à goutte afin d'assurer une humidité adéquate. Dans de bonnes conditions, les feuilles de gunnera atteignent 2 m de diamètre sur un pétiole de 3 m de haut ; en sol moins humide, elles seront plus petites.

PLANTES À FEUILLAGE IMPOSANT

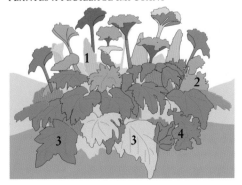

LÉGENDES DU DESSIN

1 *Gunnera manicata*
2 *Petasites japonicus giganteus*
3 *Rheum undulatum*
4 *Rheum palmatum tanguticum*

Conception et réalisation

UN JARDIN SECRET

Ce jardin inclut plusieurs structures sur une surface assez réduite : une pelouse dégagée pour la détente et les jeux, et des massifs abondants qui font écran et procurent une sensation d'intimité.

CONCEPTION

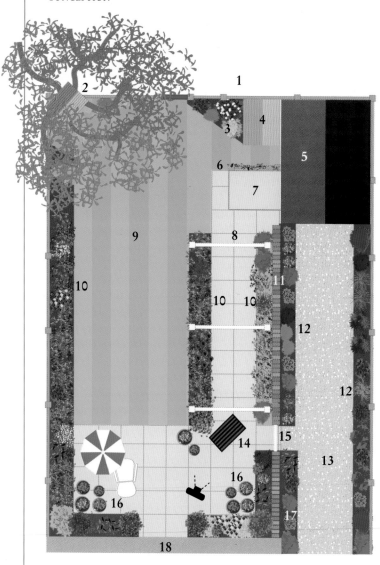

Dans ce jardin, les enfants ont un bac à sable et une maison perchée pour jouer, ainsi qu'une pelouse où toute la famille peut se détendre. La pergola dispense de l'ombre, permet une certaine intimité et donne au jardin une structure verticale. Un treillage placé derrière le bac à sable dissimule la remise des regards.

Un garage et une allée carrossable risquent de gâcher l'ensemble du jardin s'ils ne sont pas camouflés. Dans ce cas, un mur masque l'allée. Si la construction d'un mur en pierres ou en briques vous rebute, optez pour la pose facile de parpaings que vous habillerez de grimpantes et d'arbustes.

UNE PERGOLA DISCRÈTE

Une pergola n'est pas forcément imposante. On peut concevoir une structure légère et discrète, avec des poteaux rustiques, qui se fondra naturellement dans l'environnement.

RÉALISATION

ASSEMBLER DES POTEAUX RUSTIQUES

1 À l'aide d'une scie, constituez au sommet du poteau support une entaille suffisamment large pour qu'il puisse recevoir un poteau horizontal.

2 Pour assembler deux poteaux, procédez juste au-dessus d'un support. Entaillez chaque extrémité de façon que les deux poteaux s'encastrent parfaitement l'un dans l'autre.

3 Pour fixer une traverse sur un poteau horizontal, façonnez une entaille en V à la base de la traverse à l'aide d'un ciseau à bois si besoin est, puis clouez les deux éléments.

4 Pour assembler deux poteaux qui se croisent à angle droit, évidez-les chacun de moitié, d'abord à la scie, puis au ciseau à bois. Pour solidifier l'assemblage, badigeonnez de la colle à bois, puis enfoncez des clous.

5 Pour assembler un poteau horizontal à un support vertical, entaillez le support en V sur 3 cm de profondeur, puis sciez l'extrémité de l'autre poteau afin qu'elle s'encastre. Finissez les entailles au ciseau à bois.

Sélection de plantes

DES PLANTES POUR UN JARDIN FAMILIAL

Les meilleures plantes sont celles que vous aimez, à condition qu'elles ne soient pas dangereuses. Il est plus simple de recommander des plantes à éviter plutôt que des plantes à cultiver. Cependant, petits et grands sont impressionnés par les plantes à feuillage imposant.

LES PLANTES À ÉVITER

Évitez les plantes épineuses et soyez vigilants : a priori, le *Yucca gloriosa* ne paraît pas plus dangereux que les autres yuccas, pourtant l'extrémité effilée de ses feuilles peut causer une vive douleur. Évitez également les rosiers armés de nombreuses ou grosses épines. Renoncez absolument aux plantes toxiques ou urticantes. Certaines ont des racines ou des feuilles toxiques, et les baies constituent le plus grand danger car elles sont toujours tentantes. D'autres plantes provoquent des dermatoses ou autres irritations cutanées. Parmi les plus dangereuses figure la rue (*Ruta graveolens*), dont la sève peut causer une allergie cutanée très sérieuse au soleil.

DES ARACÉES FASCINANTES

Les enfants les trouvent fascinantes. Les Aracées sont des plantes étranges de la famille de

En pleine fleur, *Dracunculus vulgaris* est loin de passer inaperçu en raison de l'odeur vraiment très désagréable de ses énormes spathes cramoisi velouté.

l'arum. On cultive souvent l'arum (*Zantedeschia aethiopica*) pour la fleur coupée et, en pot, sous une véranda ; mais en climat doux, il a une place au jardin en pleine terre. Ses fleurs insignifiantes sont groupées sur un spadice en forme de massue ou de tisonnier, qu'entoure la spathe spectaculairement colorée. Pour les enfants, essayez deux plantes voisines : l'*Arisarum proboscideum* ou le *Sauromatum venosum,* qu'on peut faire fleurir à l'intérieur, sans terre, ni eau, puis planter au jardin pour qu'il produise son feuillage impressionnant. L'odeur de ses fleurs est si repoussante qu'elle peut dégoûter certains. Au jardin, essayez le *Dracunculus vulgaris* qui a d'énormes spathes cramoisi velouté, de 30-60 cm de long, et des fleurs qui sentent la viande pourrie et attirent les mouches. D'autres Aracées ont des fleurs présentant l'aspect d'une tête de cobra.

DES ANNUELLES RAPIDES ET FACILES

Les plantes qui poussent rapidement et passent du jeune semis à la fleur en quelques mois sont susceptibles d'intéresser les jeunes. Les enfants pourront s'amuser à semer *Limnanthes douglasii*, une annuelle tapissante, facile à cultiver et à faire fleurir ; avec la culture des grands soleils, ils apprendront à faire des apports d'eau et d'engrais réguliers.

Limnanthes douglasii est une annuelle tapissante facile à cultiver. À la fin de l'été, les plantes semées au printemps meurent, mais se ressèment abondamment pour refleurir l'année suivante.

VOS PROPRES FRUITS

Les plantes qui mûrissent des fruits consommables ont un attrait certain, notamment les pommiers et poiriers qui, de plus, forment des structures très décoratives menés en cordon ou en espalier contre une clôture ou un mur. Autre sujet d'étonnement, un pommier greffé, qui, outre son côté insolite, permet de cultiver plusieurs variétés.

Avec beaucoup de patience, un poirier mené en espalier offre bien plus d'attrait qu'un banal arbre sur tronc. En outre, il facilite grandement la cueillette.

DES VIVACES

Retenez surtout les vivaces très rustiques et peu fragiles, comme les hémérocalles, les kniphofias et les hostas. Si vous avez de jeunes enfants, évitez les plantes qui attirent les abeilles, comme les népétas.

On surnomme les hémérocalles « lis d'un jour » car chaque fleur est éphémère et ne vit pas plus d'une journée. Heureusement, elles en produisent beaucoup, sur une longue période.

DES ARBUSTES

En toile de fond, les arbustes persistants à feuillage panaché s'imposent : superbes toute l'année

Aucuba japonica 'Variegata' est très résistant, supportant soleil ou ombre. Ce persistant est précieux pour les endroits difficiles que comporte tout jardin. Il existe sous plusieurs formes panachées.

et très résistants, ils supportent les aléas des jeux violents ; parmi eux figurent *Aucuba japonica* sous une de ses nombreuses formes panachées, *Elaeagnus pungens* 'Maculata' et les phormiums (à éviter dans les climats à hiver froid). Prévoyez également de nombreux arbustes à fleurs caduques.

Elaeagnus pungens 'Maculata' est un arbuste persistant particulièrement séduisant à un emplacement où le soleil de l'hiver rehausse l'or de ses feuilles panachées.

DES PLANTES AROMATIQUES

Les enfants s'intéressent particulièrement aux différents parfums des plantes aromatiques ainsi qu'à leur utilisation dans la cuisine. Initiez-les avec les thyms, le fenouil (*Foeniculum vulgare*) à la senteur anisée, et les nombreuses variétés de menthes dont les senteurs vont de la menthe poivrée à la pomme. Ils s'amuseront également à les cultiver en pots.

Le fenouil (Foeniculum vulgare) présente un feuillage duveteux qui en fait une plante aussi ornementale que culinaire. Outre le fenouil vert, le plus répandu, il en existe un bronze.

DES PLANTES BULBEUSES

Les enfants aiment planter les bulbes qui produisent si rapidement des fleurs aux tons éclatants – quelques semaines pour les colchiques. Faites-leur cultiver des crocus à floraison printanière et des colchiques à floraison automnale dans un massif ou éventuellement dans un coin de la pelouse. Pour mai-juin, choisissez des grosses plantes spectaculaires, comme l'*Allium giganteum* ou l'Eremurus.

Comme le dit la chanson, le colchique des prés (Colchicum autumnale) marque la fin de l'été ; il fleurit parfois dès la fin août, parfois seulement en septembre-octobre.

UN CARRÉ
DE LÉGUMES

....

Si l'idée d'un potager n'attire pas certains jardiniers, d'autres en revanche
sont heureux de consacrer la plupart de leur temps libre et tout
leur espace disponible à la culture de légumes et de fruits. Toutefois, on
associe de plus en plus l'aspect ornemental et comestible, en cultivant fruits
et légumes côte à côte au potager, ou dans différentes parties du jardin.

On peut difficilement vivre en autarcie avec les récoltes de son potager, sauf
s'il est très grand, et peu de jardiniers sont prêts à y consacrer beaucoup de
temps et d'efforts. Toutefois, on peut souhaiter récolter ses propres pommes
de terre nouvelles alors qu'elles sont encore chères, cueillir des pommes
sur son arbre et se régaler de verdure durant tout l'été, avec ses salades et
ses plantes aromatiques. S'ajoute à cela, la satisfaction de cultiver ses propres
légumes et de les consommer frais et sans pesticides (selon votre choix).

❧ CI-DESSUS
C'est un grand plaisir de cueillir ses fruits (ici un poirier 'Conférence') dans son jardin.

❧ PAGE DE GAUCHE
Un carré de choux rouges, limité par une haie de buis nain
(*Buxus sempervirens* 'Suffruticosa'), s'avère très ornemental.

QUELQUES IDÉES

C'est un vrai plaisir de cultiver des plantes que l'on peut consommer. Certains légumes, comme la poirée, la betterave ou la laitue à couper, s'avèrent très décoratifs en plantes d'ornement dans les massifs. N'hésitez pas à marier légumes et fruits aux fleurs dans votre jardin.

❧ CI-DESSOUS

Un potager est encore plus esthétique lorsqu'il est divisé en petits carrés, séparés par une allée et clos, comme ici, d'une jolie bordure torsadée. L'accès aux légumes pour la plantation ou l'entretien (le binage notamment) y est plus facile depuis l'allée. Vous pouvez concevoir un plan strict, en donnant aux carrés de légumes une forme géométrique parfaite.

Choisissez des matériaux de qualité pour les allées. Ici, les pavés gris pâle contrastent agréablement avec les bordures torsadées, couleur brique.

❧ PAGE DE DROITE, EN HAUT

Une atmosphère de jardin de curé se dégage de ce massif où se marient naturellement fleurs et légumes. La bordure d'œillets d'Inde assure une double fonction : outre un effet décoratif de juin aux gelées, ces plantes sont précieuses pour repousser les ravageurs, en raison de leur odeur puissante, ce qui protège ainsi les plants de maïs sucré.

❧ PAGE DE DROITE, EN BAS

Ne limitez pas les légumes exclusivement au potager : réservez-leur également une place dans les massifs, ou comme ici, dans le jardinet devant la maison, sur fond de palissade peinte en blanc.

De nos jours, la mode revient aux jardins de curé, où les légumes se marient parfois de façon insolite aux fleurs. Ainsi, les potagers ne sont plus forcément relégués au fond des jardins. L'intérêt de celui-ci s'accentue au fil de l'été, alors que mûrissent les premières citrouilles et courges.

QUELQUES IDÉES

Inutile de prévoir un emplacement réservé au verger. Les pommiers, poiriers et pêchers sont faciles à mener contre un mur ou une clôture, sous forme de palmette, de cordon ou d'espalier. Quant aux fraisiers, ils prospèrent en pots ou dans un petit massif en plein soleil.

PAGE DE GAUCHE

Très en vogue, les jardins d'herbes sont souvent créés pour leur attrait ornemental plutôt que culinaire. Ils se prêtent bien à des motifs géométriques ou pour décorer un bassin à oiseaux ou un cadran solaire.

CI-CONTRE

Même sur une terrasse ou un balcon, vous pouvez concevoir un jardin d'herbes en les plantant en pots. Pour certaines plantes aromatiques, comme la menthe, la plantation dans un sac de culture est nécessaire afin de maîtriser les racines traçantes et envahissantes. Trois sauges ornementales prospèrent dans des pots, près de la menthe, tandis que la jarre à fraisiers héberge diverses plantes aromatiques.

Ces condiments sont mis en valeur par la double rangée de fleurs : des pétunias colorés et l'herbe aux écus *(Lysimachia nummularia)*, tapissante, à fleurs jaunes.

CI-DESSUS

Un potager peut être très décoratif, comme ici. Dans ce jardin clos, les bordures de buis ou de rue forment un tracé très net, et délimitent des carrés garnis de plantations différentes – des légumes, comme des pommes de terre ou des tomates, mais aussi des fleurs, comme les dahlias, ou encore des herbes aromatiques, et même des arbustes à petits fruits, comme les groseilliers.

Malgré cette profusion de plantes dans les carrés, ce jardin offre une conception judicieuse et une belle unité, en raison de son plan d'origine, très élaboré.

Conseils pratiques
DES LÉGUMES EN POTS

Si vous n'avez pas suffisamment de place pour un grand potager, faites preuve d'imagination. Cultivez des légumes dans des potées aussi élégantes que savoureuses.

Certains légumes, comme les tomates et les laitues, donnent de très bons résultats en pots : en effet, leurs racines supportent d'être confinées, et ils poussent très facilement. Plantez-les dans des jardinières ou des pots en terre. Avec un peu d'expérience, vous pourrez tenter d'autres essais fructueux.

❦ CI-CONTRE
LES LAITUES Les laitues sont vraiment faciles à cultiver en pots, notamment les petites variétés qui se contentent d'un espace réduit. Pour obtenir une succession de laitues pommées, échelonnez les semis en semant juste quelques graines chaque semaine, à partir d'avril, ou bien choisissez une variété à couper, comme 'Salad Bowl', dont les feuilles, prélevées au fur et à mesure des besoins, repoussent continuellement et qui, ainsi, ne laisse pas de trous dans les plantations après la récolte, à la différence des laitues pommées.

Pour créer une belle composition de laitues dans une auge, un bac ou une jardinière, regroupez divers types de laitues, dont le feuillage diffère par leur forme ou leur couleur.

SUGGESTIONS *Si vous cultivez des laitues dans une jardinière, recherchez deux ou trois jardinières en plastique, s'encastrant parfaitement dans la jardinière en terre cuite. Ainsi, vous pourrez échelonner les semis dans les jardinières en plastique que vous mettrez successivement en place lorsque leurs plantations seront à leur apogée.*

❦ CI-CONTRE
LES POMMES DE TERRE À priori, la culture des pommes de terre ne semble pas pouvoir se faire en pot. Pourtant, cela vaut la peine de planter quelques tubercules d'une variété précoce qu'on pourra récolter tant qu'ils sont encore petits et particulièrement savoureux, à une époque de l'année où les pommes de terre sont encore chères. Mettez-les en végétation dans une serre ou une véranda hors gel, et attendez qu'il fasse suffisamment doux avant de les sortir. Un pot est facile à déplacer, mais si vous optez pour un sac de culture, mieux vaut le mettre sur une planche et se faire aider pour le rentrer facilement à l'abri en cas de risque de gelée. Cela paraît demander beaucoup d'efforts, mais un repas ou deux de pommes de terre nouvelles est un vrai régal.

SUGGESTIONS *Ne disposez pas les pots de pommes de terre en évidence car leur végétation n'a rien d'attrayant, mais veillez à ce qu'ils reçoivent beaucoup de lumière.*

❦ CI-CONTRE

D'AUTRES LÉGUMES Les courges, courgettes et concombres fructifient dans un sac de culture ou dans un grand pot. Ici, la courgette plantée dans une demi-barrique commence à produire.

SUGGESTIONS *Courges et courgettes sont très décoratives avec leurs grandes fleurs jaunes. Certaines variétés mûrissent des fruits jaunes.*

❦ CI-DESSOUS

TOUT UN POTAGER EN POTS Si vous avez de la place sur votre terrasse, créez un potager dans plusieurs pots. Regroupez-en de différents types, assez volumineux pour pouvoir contenir beaucoup de substrat et ne lésinez pas sur les apports d'eau.

SUGGESTIONS *De grands pots comme ceux-ci sont peu esthétiques. Rendez-les plus attrayants en les couvrant d'une peinture acrylique.*

❦ CI-CONTRE

DANS UN SAC DE CULTURE Tous les légumes de cette photo tiennent uniquement dans deux sacs de culture : pommes de terre nouvelles, épinards, laitues et petits oignons. Voilà un vrai potager, toujours à portée de main sur une terrasse ou un balcon ! Préférez des variétés à petit développement, ou des légumes précoces.

SUGGESTIONS *Regroupez tous les légumes sur une partie de la terrasse, surtout s'ils sont dans des sacs de culture, afin que leur aspect peu esthétique ne dépare pas les massifs de fleurs.*

Conseils pratiques

UN ARBRE FRUITIER DANS UN PETIT JARDIN

Il est possible d'accueillir un ou plusieurs arbres fruitiers dans un petit jardin. Cultivés en cordon, en espalier ou en palmette, les pommiers, poiriers ou pêchers prennent peu de place, surtout s'ils sont greffés sur un porte-greffe nanifiant. Ces arbres, souvent taillés pour conserver leur forme, fructifient abondamment sur des rameaux courts. Le cordon a un tronc court et une tige principale horizontale, ou bien un tronc oblique (45°). L'espalier et la palmette sont des formes palissées voisines, à adosser contre un mur ou une clôture. Une deuxième solution est de cultiver des arbres fruitiers nains, tels que nectariniers ou pommiers, en pots. Une troisième solution est celle des nouvelles variétés anglaises de pommiers à port érigé, adaptées à un jardin minuscule.

❧ CI-CONTRE

UN POMMIER ÉRIGÉ Encore réservés au marché britannique, les pommiers érigés se caractérisent par l'absence de grosses branches et la formation de rameaux courts, fructifères, à même le tronc. On peut en planter toute une collection dans un petit jardin.

> SUGGESTIONS *Plantez tout un rang de différentes variétés pour clore le potager d'un écran productif original.*

❧ CI-CONTRE

UN POMMIER EN CORDON Un pommier mené en cordon ne prend pas beaucoup de place et s'avère idéal pour créer une bordure séduisante, notamment lors de la floraison et au cours du mûrissement des fruits. Pour conserver sa forme et maintenir une fructification à proximité de la charpente, il faut le tailler en hiver et durant l'été – taille dite en vert, qui consiste en un pincement.

> SUGGESTIONS *Plantez des pommiers ainsi menés en cordons, non seulement autour du potager, mais aussi le long d'un massif de fleurs.*

❦ CI-CONTRE
UN PÊCHER EN POT Seule une variété naine de pêcher acceptera de fructifier en pot, dans un emplacement chaud. Ici, le pêcher 'Garden Silver' est planté dans un pot de 30 cm de diamètre. Il existe aussi des nectariniers nains, parfaits en pots.

SUGGESTIONS *Réservez une place de choix sur votre terrasse ou votre balcon à un pêcher en pot, vraiment superbe au printemps quand il est en pleine fleur.*

❦ CI-DESSUS
UN POMMIER EN POT De même que pour le pêcher, seules les variétés greffées sur un porte-greffe nain acceptent de pousser dans un gros pot où elles ne passent pas inaperçues. Leur production est certes limitée, mais tout à fait acceptable.

SUGGESTIONS *Ne cultivez pas de pommier en pot si vous avez la possibilité d'en planter en pleine terre, où il demande beaucoup moins de soins réguliers et d'apports d'eau. Réservez une telle culture sur une terrasse dallée ou un balcon.*

❦ CI-CONTRE, AU CENTRE
UN POIRIER EN ESPALIER Voilà une clôture productive séduisante. Le poirier en espalier 'Conférence' croule sous les fruits.

SUGGESTIONS *Palissez de tels espaliers en plein soleil, le long de la clôture ou du mur bordant votre potager. Ainsi, ils libéreront de l'espace que vous pourrez utiliser pour planter des arbustes à petits fruits.*

❦ CI-CONTRE, EN BAS
UN PÊCHER EN PALMETTE Pour faire de votre pêcher ou nectarinier une plante ornementale qui fructifie généreusement, conduisez-le en palmette contre un mur ou une clôture.

SUGGESTIONS *Palissez un pêcher en palmette contre un mur chaud et ensoleillé, mais n'espérez pas une récolte abondante dans une région froide.*

Conseils pratiques

DES PLANTES AROMATIQUES

De nombreuses plantes aromatiques, avec leurs jolies fleurs et leur agréable parfum, ont leur place dans un massif de fleurs. Mais de nos jours, les paysagistes les plus talentueux, imités par les jardiniers, n'hésitent pas à les utiliser pour créer un massif ou tout un jardin.

⚘ CI-DESSUS
SUR LA TERRASSE Pour pouvoir utiliser commodément les plantes aromatiques, installez-les à proximité de la cuisine. Ici, c'est tout un jardin d'herbes qui embellit la terrasse. Lorsqu'on s'assoit sur les bancs aménagés sur lesquels ces plantes aromatiques débordent, et qu'on les froisse, elles exhalent un parfum puissant.

SUGGESTIONS *Placez en bordure les plantes les plus ornementales, comme les sauges panachées et la ciboulette, et reléguez au fond les moins intéressantes, comme l'estragon ou la livèche. Pour que ce jardin d'herbes reste attrayant toute l'année, privilégiez les plantes persistantes comme la sauge, le thym ou le romarin.*

❦ CI-DESSUS
DANS UNE JARDINIÈRE Si vous manquez de place dans votre jardin, n'hésitez pas à regrouper une sélection de plantes aromatiques dans une jardinière décorative comme ici, que vous pourrez placer, au besoin, sur le rebord d'une fenêtre assez ensoleillée.

SUGGESTIONS *Cherchez une jardinière ornementale pour la placer en vue. Ici, le conteneur est en fibres de verre.*

❦ CI-DESSUS
DANS UN MASSIF Donnez à vos massifs d'herbes des formes géométriques qui resteront attractives durant toute la mauvaise saison, alors que les plantes flétries auront perdu leur attrait.

SUGGESTIONS *Entourez les massifs d'une bordure singulière, accentuant leur forme et leur contour. Elle se compose ici de pavés de granit qui contrastent avec le gravier de l'allée.*

❦ CI-DESSUS
UNE ROUE D'HERBES AROMATIQUES Quelle que soit la taille de votre jardin, vous y trouverez toujours une place pour quelques plantes aromatiques, à condition de leur offrir une exposition assez ensoleillée. Très répandue au XIXᵉ siècle, la roue permet de cultiver de nombreuses plantes aromatiques dans un petit espace.

SUGGESTIONS *Adoptez cette structure géométrique et symétrique seulement si vous avez du temps à consacrer à la taille des plantes aromatiques. Elles ne doivent pas en effet déborder du cadre qui leur est imparti, sous peine de masquer les bords et les rayons de la roue, et ainsi de détruire l'effet voulu.*

Conseils pratiques

DES LÉGUMES PARMI LES FLEURS

Si vous ne souhaitez pas consacrer toute une partie de votre jardin uniquement aux légumes et aux plantes aromatiques, mariez-les avec des fleurs. Vous pourrez ainsi créer des associations souvent étonnantes et fort réussies.

❧ CI-CONTRE

UN POTAGER FLEURI Mariez les fleurs et les légumes sans les séparer franchement comme dans ce potager fleuri : ou vous apprécierez cette association, ou bien vous la trouverez déconcertante.

SUGGESTIONS *Accordez un espace à un potager fleuri, au sein du jardin, en le séparant de la partie purement ornementale par une haie naine ou une palissade.*

❧ CI-CONTRE
DES LÉGUMES BORDÉS DE BUIS
Créez un jardin géométrique avec un échiquier de carrés, bordés d'une mini-haie de buis (*Buxus sempervirens* 'Suffruticosa'), et séparés par des allées. Réservez certains carrés aux légumes et d'autres aux fleurs.

SUGGESTIONS *Dans les carrés remplis de légumes en été, plantez des bulbes à floraison hivernale et des bisannuelles pour le printemps. Faites-le après avoir récolté tous les légumes (septembre-octobre).*

❧ CI-DESSUS

DES LÉGUMES ORNEMENTAUX La poirée (ou bette) à côtes rouges est un légume vraiment spectaculaire qui mérite une place dans les massifs de fleurs (associée ici à un lobélia). Elle offre un effet tout aussi étonnant plantée simplement en rang au potager.

SUGGESTIONS *La poirée donne de la hauteur dans les massifs. Même si vous ne la cuisinez pas, cultivez-la pour son attrait esthétique.*

❧ CI-DESSUS

UN MARIAGE SUBTIL Dans ce jardin de curé, le bleuet *(Centaurea cyanus)* se fraie un chemin parmi la bourrache aux fleurs bleues et une grande variété de légumes. Ceux qui n'apprécient que des jardins bien tenus, aux plantations très délimitées, n'aimeront certainement pas celui-ci, au charme particulier. Dans un tel jardin, pas de problème de ravageurs ou de maladies sur les légumes en raison de la diversité des plantes cultivées.

SUGGESTIONS *Si le reste du jardin est traité de façon plus raffinée et plus géométrique, séparez les deux parties par une haie ou un écran, pour éviter que cette association paraisse trop fouillis.*

 ❧ CI-CONTRE

UN CONTRASTE SAISISSANT Le feuillage pourpre, vraiment admirable, de la betterave, tranche ici nettement sur la rangée d'œillets d'Inde du fond. Lorsque vous aurez récolté les betteraves, vous pourrez les remplacer par un autre légume, ou des plantes à fleurs.

SUGGESTIONS *Pour faciliter la récolte d'un tel légume, mieux vaut le regrouper, comme ici, que de le disséminer çà et là parmi des fleurs.*

Conception et réalisation
UN ÉCHIQUIER AROMATIQUE

Si vous avez de la place dans votre jardin, installez le potager ou le carré d'herbes à proximité de la maison, pour faciliter la cueillette. Ici, une terrasse dallée, bien exposée, a été transformée en séduisant jardin d'herbes aromatiques.

CONCEPTION

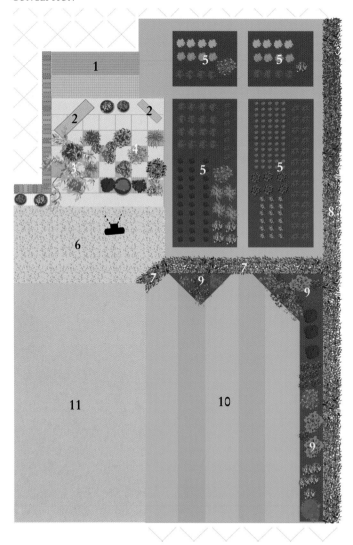

LÉGENDES DU PLAN

1 Remise
2 Banc de pierre
3 Petit arbre remarquable
4 Échiquier d'herbes aromatiques
5 Légumes
6 Gravier
7 Arche à travers la haie d'ifs
8 Haie d'ifs
9 Arbustes nains
10 Pelouse
11 Maison

∨ suite du jardin

🖽 lieu de la prise de vue

UNE ROUE D'HERBES AROMATIQUES
Cette roue est une bonne solution pour cultiver de nombreuses plantes aromatiques sur une surface réduite. Vous pourrez utiliser une vieille roue de charrette, encore que cela soit difficile à trouver. L'idéal est de construire vous-même une roue en briques. Plus elle est grande, plus vous pourrez y aménager de rayons.

Entre chaque rayon, adoptez des plantes contrastant par leur couleur, leur senteur ou la forme du feuillage.

CONSTRUIRE UNE ROUE D'HERBES AROMATIQUES

1 Dessinez un cercle d'environ 1,50-2 m de diamètre en utilisant une corde fixée à un piquet pour obtenir un contour régulier. Si nécessaire, aidez-vous d'une bouteille de verre, remplie de sable sec pour marquer le périmètre. Creusez le sol sur une profondeur d'environ 15 cm.

RÉALISATION

2 Placez les briques debout sur tout le périmètre ou, pour un effet plus naturel, en les inclinant légèrement. Posez-les avec l'inclinaison retenue simplement sur de la terre tassée, ou bien scellez-les sur du mortier.

3 Construisez une croix de briques, comme montré ci-dessus. Si du fait du diamètre du cercle, subsiste un vide au milieu entre deux briques, mettez-y un pot ou un élément décoratif, à défaut d'une plante.

4 Remplissez les quarts de cercle d'une bonne terre de jardin ou d'un substrat assez riche que vous avez préparé. Ajoutez de l'engrais à ce stade si nécessaire.

5 Dans chaque quart de cercle, installez des plantes aromatiques offrant, si possible, une végétation comparable. Cultivez par exemple différents thyms. Pour une finition soignée, couvrez de gravillons la terre apparente.

Conception et réalisation

UN POTAGER ORNEMENTAL

Ne reléguez pas forcément les légumes au fond du jardin.
Vous pouvez les associer à des fleurs et les planter dans
des carrés géométriques, clos de buis nain, créant ainsi un
superbe potager ornemental.

Ce potager géométrique est
suffisamment vaste pour créer
un décor intéressant toute l'année.
Avant d'obtenir une haie de buis
aussi parfaitement taillée que
sur la photographie, il faudra

patienter près de quatre à cinq ans.
Pour joindre l'utile à l'agréable
et créer un potager ornemental
de toute beauté, plantez des
légumes dans ce cadre géométrique,
en les mariant à des fleurs.

CONCEPTION

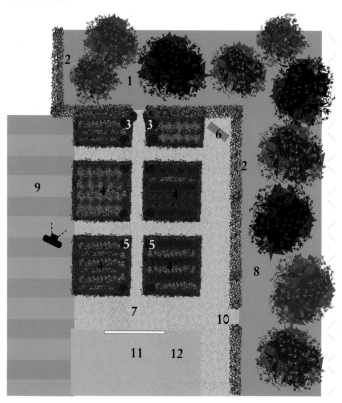

LÉGENDES DU PLAN

1 Jardin naturel et
  espace boisé
2 Haie
3 Grand conifère taillé
4 Fleurs et légumes entourés
  d'une mini-haie de buis
5 Topiaire
6 Banc
7 Gravier
8 Jardin en sous-bois
9 Pelouse et jardin
  d'ornement
10 Sentier menant au sous-bois
11 Chambre principale
   de la maison donnant
   sur le potager
12 Maison

< suite du jardin

⬚ lieu de la prise de vue

**LA TAILLE DU POMMIER EN
CORDON ET EN ESPALIER**
Un arbre fruitier mené en cordon
ou en espalier est précieux
dans un petit jardin car il occupe
peu de place et est plus décoratif
qu'un arbre de plein vent.
Le seul inconvénient est qu'il faut
le tailler régulièrement – au moins
une fois en été (taille en vert)
ainsi qu'en hiver pour les plantes
âgées, à végétation surabondante.
Cette taille d'hiver vise à réduire
le nombre des spurs, les rameaux
fructifères, courts, devenus
si serrés que les fruits n'ont
pas assez de place pour se
développer convenablement.

RÉALISATION

TAILLE EN VERT DE L'ESPALIER

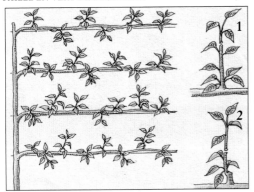

TAILLE EN VERT DU CORDON

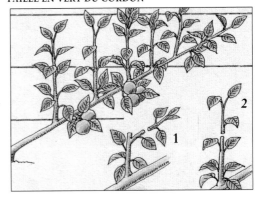

1 Rabattez, à trois feuilles au-dessus du groupe de feuilles basal, les nouvelles pousses feuillues. Procédez seulement quand les pousses ont des feuilles vert foncé et que l'écorce commence à brunir et à se lignifier à la base. En climat froid, ne taillez en vert qu'en septembre, afin que les pousses soient assez aoûtées.

2 Si la pousse est émise à partir d'un chicot laissé par une taille précédente, et ne s'insère pas sur une des tiges principales, rabattez-la à une feuille au-dessus du groupe de feuilles basal.

1 Rabattez, à une feuille au-dessus du groupe de feuilles basal, les pousses naissant à partir d'un chicot laissé par une taille précédente.

2 Taillez un cordon de la même façon qu'un espalier, encore que la forme de la plante diffère. Rabattez, à trois feuilles au-dessus du groupe de feuilles basal, les pousses naissant directement sur la branche principale.

Conception et réalisation

UN THÈME CIRCULAIRE

Ce plan montre ce que l'on peut créer dans un jardin assez petit, ne faisant que 11 × 9 m. Inspirez-vous en si vous pensez qu'il vous faut absolument un grand jardin pour concevoir un plan imaginatif, débordant d'idées novatrices.

CONCEPTION

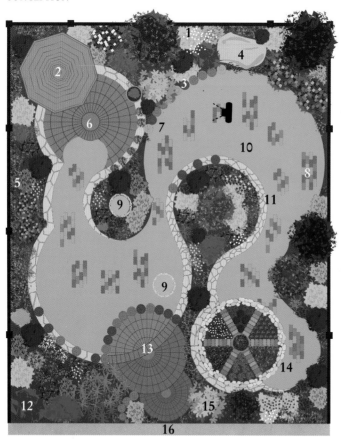

LÉGENDES DU PLAN
1 Treillage
2 Kiosque
3 Mixed-border
4 Grande rocaille
5 Clôture
6 Terrasse circulaire surélevée
7 Pots juchés sur des rondins
8 Pas japonais en briques
9 Petit bassin
10 Pelouse
11 Muret
12 Plantations variées
13 Marche en briques créant un autre niveau
14 Roue de plantes aromatiques
15 Massif de plantes aromatiques
16 Maison
⚹ lieu de la prise de vue

grande roue, on ne peut cultiver qu'un nombre limité de plantes, les plus hautes, comme le fenouil, étant exclues. Afin de pouvoir planter plus d'herbes aromatiques, on leur a réservé au pied de la maison une plate-bande très décorative qui parfume les pièces les plus proches ; celles à forte végétation y trouvent leur place ainsi que de simples arbustives, comme les sauges panachées, si colorées.

DES HERBES AROMATIQUES SUR LA TERRASSE
Si votre terrasse dallée paraît triste et manque de couleurs, ôtez quelques dalles pour planter à la place des herbes aromatiques vivement colorées ou parfumées. Essayez d'enlever les dalles sans les casser et mettez-les de côté pour un autre usage. À cet emplacement, préférez des plantes persistantes, qui restent décoratives toute l'année.

Comme le montre ce plan, il est possible d'introduire des plantes aromatiques dans un jardin ornemental sans qu'il perde son attrait esthétique. À l'origine, ce jardin était orné d'un bassin circulaire peu profond, qui a été remplacé par une roue d'herbes aromatiques, prouvant la facilité de modifier un plan existant afin de répondre à une exigence particulière. Même dans une

RÉALISATION

PLANTER DES HERBES AROMATIQUES SUR UNE TERRASSE

1 Aidez-vous d'un outil robuste et tranchant, tel un burin, et d'un marteau pour enlever les dalles. Cela sera assez facile si elles sont posées sur du sable ou scellées avec du mortier. Mais si les joints sont bétonnés, mieux vaut dans ce cas renoncer à enlever les dalles.

2 Sous la dalle, la terre se sera tassée et appauvrie. Commencez par la briser à l'aide d'une fourche, puis apportez une grosse quantité de bon substrat ou de compost de jardin bien décomposé. Mélangez le tout.

3 Pour donner de la verticalité, plantez un grand arbuste aromatique au milieu. Ici, on a opté pour un laurier-sauce (*Laurus nobilis*), mais on aurait pu aussi bien choisir un romarin (*Rosmarinus officinalis*).

4 Au pied de l'arbuste, plantez les herbes aromatiques que vous préférez ou utilisez le plus en cuisine. Ici, on a retenu de jeunes plants d'origan doré, très décoratif par leur feuillage persistant.

Conception et réalisation

LA SYMÉTRIE AVANT TOUT

Dans ce jardin consacré aux plantes aromatiques, la géométrie et la symétrie ont été privilégiées. Quatre carrés d'herbes aromatiques sont séparés par un sentier dallé en croix avec, placés de façon symétrique, un cadran solaire et un bassin pour oiseaux. Les plantes aromatiques ont été choisies avant tout pour leur aspect esthétique.

CONCEPTION

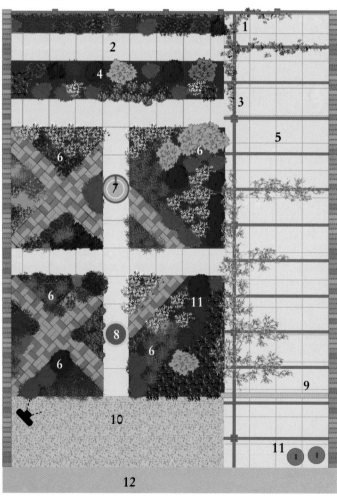

Pour rester attrayant toute l'année, le jardin d'herbes aromatiques peut être agrémenté de points de mire, comme un cadran solaire ou un bassin à oiseaux. Dans cet espace géométrique, les allées délimitent les massifs et constituent aussi la principale structure du jardin durant les mois d'hiver. Le matériau doit donc être séduisant et bien posé.

Les allées dans les carrés sont revêtues de briques, qui contrastent nettement avec les dalles des autres allées et de celle sous la pergola.

LA NATURE DU SOL

Que vous optiez pour des plantes d'ornement, des légumes ou des herbes, vous devez connaître la nature du sol de votre jardin. Vous saurez ainsi quelles sont les plantes les plus adaptées et comment améliorer la terre.

Il existe des tests pour analyser le pH et connaître ainsi le degré d'acidité ou d'alcalinité du sol. Celui présenté page suivante concerne la teneur en azote, mais tous ces tests s'emploient pareillement.

RÉALISATION

ANALYSER VOTRE TERRE

1 Prélevez un échantillon de terre à 5-8 cm sous la surface. Prenez ainsi plusieurs échantillons dans le jardin et analysez-les séparément ou bien mélangez-les pour une seule analyse.

2 Mélangez un volume de terre avec cinq volumes d'eau dans un bocal. Secouez vigoureusement, puis laissez se déposer les particules de terre, durant une demi-heure à une journée, selon la nature de la terre.

3 À l'aide de la pipette, prélevez un peu de solution en surface (les deux ou trois premiers centimètres) pour l'analyser.

4 Transférez délicatement cette solution dans l'alvéole du test à l'aide de la pipette.

5 Sélectionnez la capsule d'une couleur correspondant à un élément nutritif bien précis. Versez la poudre qu'elle contient dans la solution. Fermez le couvercle et secouez vigoureusement.

6 Au bout de quelques minutes, comparez la couleur du liquide avec celle du nuancier. Vous déterminerez ainsi la teneur en tel ou tel élément nutritif et saurez s'il y a des modifications à effectuer.

Conception et réalisation
UN POTAGER GÉOMÉTRIQUE DÉCORATIF

Dans un potager géométrique aux motifs aussi décoratifs, un simple chou devient ornemental, et le massif réservé aux fleurs coupées s'y intègre parfaitement. Ce style de potager s'avère certes moins pratique à l'usage qu'un terrain rectangulaire où les légumes sont alignés sur de longues rangées, mais il est nettement plus attrayant.

CONCEPTION

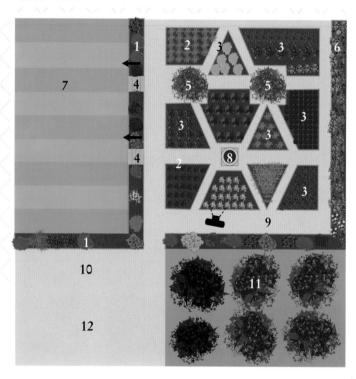

LÉGENDES DU PLAN

1 Talus planté d'arbustes nains
2 Support en tipi pour des pois de senteur, entouré de légumes
3 Légumes
4 Marches pour accéder à la pelouse en contrebas
5 Poirier
6 Massif d'annuelles pour fleurs coupées
7 Pelouse en contrebas
8 Vasque sur un socle
9 Allée de terre et de pierres
10 Gravier
11 Verger
12 Maison

∨ suite du jardin

← sens de la descente des marches

lieu de la prise de vue

Pour ce potager proche de la maison, on a choisi de faire un patchwork de petites parcelles de légumes, afin qu'il décore joliment le jardin, en plus de son intérêt culinaire.

En partant d'un terrain vierge, on aurait pu concevoir un plan symétrique, beaucoup plus classique, mais ici, la présence de deux poiriers a imposé une autre approche. Les différents carrés sont assemblés sans aucune symétrie mais apportent un charme peu commun par l'échiquier original qu'ils composent.

DES PETITS CARRÉS DE LÉGUMES
Il y a de nombreux avantages à cultiver les légumes dans des petits carrés. Ainsi, on ne risque pas de piétiner la terre, donc de la tasser. Le seul labour nécessaire consiste à supprimer les racines de mauvaises herbes et à enfouir en même temps une grande quantité de matières organiques, comme du fumier décomposé ou du compost de jardin. On ajoute ensuite en surface un paillis de matières organiques qui seront enfouies dans le sol par les vers de terre et autres petits insectes. Pour améliorer la fertilité et la structure du sol, ainsi que la production de légumes, il suffit d'épandre régulièrement beaucoup de matières organiques.

RÉALISATION

CI-DESSUS

N'hésitez pas à concevoir des carrés de légumes encore plus grands. S'ils sont entourés d'une allée, comme ici, vous pourrez facilement les entretenir, en dépit de leur superficie plus importante.

CI-DESSUS

Modifiez un potager traditionnel en divisant l'espace en bandes d'1,20 m de large, consacrées à des rangs de légumes et séparées d'allées étroites, d'où vous pourrez travailler et accéder facilement aux plantes.

Certains n'emploient que des engrais et des fumiers organiques qui leur donnent des récoltes importantes sans recourir à des engrais chimiques.

Sur un terrain normal, procédez à ce type de culture en divisant l'espace en bandes d'1,20 m de large, consacrées à des rangs de légumes et séparées d'allées étroites, d'où vous travaillerez sans tasser la terre des zones cultivées.

CI-CONTRE

Joignez l'utile à l'agréable en créant un potager fleuri. Les pois de senteur qui grimpent sur un support en forme de tipi, au milieu de chaque carré, sont destinés à embellir la maison.

Conception et réalisation

CRÉER UN JARDIN D'HERBES AROMATIQUES

Les plantes aromatiques comptent parmi les plus séduisantes des végétaux du potager, ce qui explique leur succès dans les jardins. Si vous disposez d'un grand espace, mieux vaut concevoir dans un lieu clos à part un jardin

aromatique comme celui-ci. Ce sera un emplacement idéal pour s'asseoir et se reposer. Si vous consacrez de nombreux massifs à un seul type de plante, vous pourrez en récolter en quantité sans nuire à l'effet décoratif.

CONCEPTION

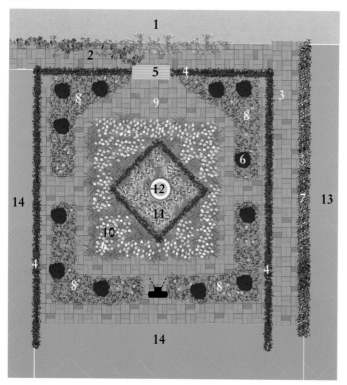

LÉGENDES DU PLAN

1 Garage
2 Grimpantes contre le mur du garage
3 Allée
4 Haie de buis nain (*Buxus sempervirens* 'Suffruticosa')
5 Banc
6 Buis taillé *(Buxus sempervirens)*
7 Haie d'ifs
8 Thym
9 Terrasse en briques
10 Ciboulette
11 Origan doré
12 Cadran solaire
13 Vers le verger
14 Vers la maison

∨ suite du jardin

⚏ lieu de la prise de vue

Un jardin comme celui-ci doit être avant tout considéré comme une pièce décorative. Au lieu de cultiver différentes plantes aromatiques pour parfumer votre cuisine, mieux vaut limiter leur nombre et retenir uniquement les plus décoratives.

Le jardin d'herbes aromatiques est agencé de façon symétrique

autour d'un cadran solaire attrayant. La bordure de buis donne de l'unité à l'ensemble, notamment pour un grand jardin.

DES PLANTES AROMATIQUES EN JARDINIÈRE

Même si vous avez un grand massif d'herbes aromatiques, une petite caisse remplie d'un

assortiment de ce type de plantes sera précieuse auprès de la porte de la cuisine.

Si vous n'avez pas du tout de place pour créer un jardin d'herbes à part, vous pouvez tout à fait adoptez ce type de plantation en jardinière.

RÉALISATION

UN MINI-JARDIN DANS UNE CAISSE DE VIN

1 Supprimez toutes les agrafes d'une ancienne caisse de vin et rabotez au papier de verre les bords rugueux avant d'appliquer deux couches de vernis pour l'extérieur, sur les deux faces. Laissez bien sécher le vernis entre les deux applications.

2 Au fond de la caisse, disposez des tessons ou un matériau tout aussi drainant, puis placez les godets à l'intérieur pour trouver la meilleure disposition. Remplissez la caisse d'un substrat léger, riche en sable grossier, avant de commencer à planter.

3 Si besoin est, démêlez le chignon à la base de chaque motte pour favoriser un bon enracinement. Après la plantation, épandez un engrais à action lente en surface. Arrosez bien, puis recouvrez la surface d'écorce finement broyée comme paillis.

4 Installez la caisse à proximité de la cuisine, et n'oubliez pas de l'arroser régulièrement. Ne cueillez pas trop de feuilles à la fois pour ne pas gâcher l'aspect décoratif de l'ensemble.

Sélection de plantes

LES PLANTES POUR LE POTAGER

En ce qui concerne les plantes comestibles, cultivez celles que vous aimez plutôt que celles qui paraissent les plus belles. Privilégiez avant tout le goût et la saveur. Nous conseillons ici les plantes susceptibles d'offrir un bon rendement dans un petit espace et moyennant peu d'efforts, ainsi que celles qui, intéressantes, gagnent à être mieux connues. Pour les plantes aromatiques, nous recommandons celles qui sont aussi décoratives que culinaires ; si la place manque au potager, vous pourrez les cultiver dans un massif d'arbustes et de fleurs, ou bien dans des jardinières, des pots, sur la terrasse ou entre les dalles d'une allée.

DE BONNES SALADES

Pour composer des salades rafraîchissantes, les laitues, chicorées et tomates sont indispensables au potager. Si vous aimez l'originalité, essayez une laitue rouge ou une tomate jaune par exemple. Renouvelez souvent les semis de laitue, en semant peu de graines à chaque fois.

En climat froid, cultivez les tomates sous verre de préférence ; elles sont toutefois plus faciles à cultiver à l'extérieur, surtout si vous choisissez une variété buissonnante pour laquelle la suppression des pousses latérales est inutile.

Dans de bonnes conditions, les radis produisent en trois semaines : pour les réussir,

La poirée à cardes rouges est si décorative qu'elle mérite une place dans un massif de fleurs et parmi des annuelles.

La chicorée change agréablement de la laitue. Elle offre un meilleur goût si on la blanchit quelques jours avant la récolte. Contrairement à la laitue, elle supporte le gel. Il s'agit ici de la variété 'Green Curled'.

pratiquez des semis clairs et répétés, et récoltez-les régulièrement car ils se dégradent rapidement.

Semez aussi du maïs sucré pour en ajouter dans vos salades de fin d'été.

La laitue 'Lolla Rossa' constitue une pomme lâche, mais on peut ne prélever que quelques feuilles si l'on ne souhaite pas récolter toute la pomme. Les feuilles frisées et croquantes colorent et parfument les salades d'été.

Le pâtisson, légume étonnant et très décoratif, est voisin des courges et courgettes.

DES LÉGUMES RARES OU INTÉRESSANTS

Dans votre potager, évitez de cultiver des légumes ordinaires que vous trouvez facilement dans votre supermarché. Profitez-en au contraire pour innover en essayant des variétés originales et savoureuses. Redécouvrez des légumes anciens comme le crosne, le topinambour ou le panais. Égayez votre potager de deux légumes ornementaux, la poirée à cardes rouges ou la rhubarbe. À la place de la courgette, essayez donc le pâtisson aux curieux fruits blancs côtelés.

DES PLANTES AROMATIQUES DÉCORATIVES

Parmi les plantes aromatiques, le romarin, la sauge et le laurier-

La sauge est un arbuste tapissant, idéal en bordure d'un massif. La sauge officinale (*Salvia officinalis*) est verte, mais il existe plusieurs variétés panachées d'or, de rose ou de pourpre, toutes très ornementales.

Les ciboulettes et cives comptent parmi les plantes aromatiques les plus séduisantes, avec leur feuillage fin et leurs belles fleurs roses tout l'été. N'hésitez pas à les planter en bordure d'un massif.

sauce figurent souvent dans les massifs. Mais, l'origan, la ciboulette et la cive, la mélisse dorée et la bourrache y ont également une place. Le thym s'impose en rocaille. À part la bourrache, toutes ces plantes se plaisent aussi en pots.

DE BONS FRUITS

Même si votre jardin est petit, plantez un arbre fruitier que vous mènerez en cordon, palmette ou espalier ; choisissez un pommier ou un poirier, dont vous conserverez les fruits des mois durant dans un local frais ou un fruitier.

Si vous raffolez des petits fruits, comme les groseilles ou les fraises, optez pour une variété savoureuse et protégez-la bien des oiseaux. Ainsi, préférez une variété de

fraisier mûrissant des petits fruits qui ont bien plus de goût et de parfum que les grosses fraises.

'Walz', un pommier à port érigé, obtenu récemment en Grande-Bretagne, est encore introuvable dans notre pays. Cette variété est idéale dans un petit jardin ; elle fructifie abondamment sur des rameaux courts, à proximité du tronc, et ne développe pas de grosses branches latérales.

Les poiriers peuvent être maintenus assez petits. Ici, 'Beurré Hardy', conduit en palmette palissée, prend peu de place.

Index

REMERCIEMENTS

L'auteur et l'éditeur tiennent à remercier M. Robert Crawford, pour son travail de reproduction des plans de jardin. Ces derniers ne reproduisent par toujours le dessin original. Quand ils sont connus, les concepteurs sont mentionnés dans la liste suivante.

h = haut, b = bas, g = gauche, d = droite, m. = milieu

Couverture : jardin de Godfrey Amy, Jersey, Anthony Paul Design

A-Z Botanical Collection Ltd : p. 65 hd Sylvia O'Toole; p. 75 hg Mike Vardy; p. 145 h; p. 174 James Braidwood; p. 175 h Adrian Thomas (conception Wendy Bundy); p. 229 h A. Stenning; p. 241 h Adrian Thomas.
Pat Brindley : p. 3; p. 34 h; p. 51 h; p. 117 b; p. 175 b.
Jonathan Buckley : p. 2; p. 4; p. 81 h; p. 114; p. 29 b; p. 142; p. 170; p. 213; p. 226.
The Garden Picture Library : p. 1 (designer Clay Perry); p. 5 Steven Wooster (John Brookes Design); p. 7 Gil Hanly (Jardins Ethidge, Timaru, Canterbury, Nouvelle-Zélande, Nan et Wynne Raymond); p. 19 Gil Hanly (Jardin de Penny Zino, Flaxmere, Hawarden, Nouvelle-Zélande); p. 30 Henk Dijkman; p. 32 J. S Sira; p. 33 h Ron Sutherland (Michelle Osborne Design); p. 33 b Ron Sutherland (jardin Smyth, Jersey, Anthony Paul Design); p. 34 b Ron Sutherland (Paul Bangay Design); p. 35 b Jerry Pavia; p. 35 m. David Askham; p. 39 bg Steven Wooster (Sticky Wicket, Dorset); p. 45 Ron Sutherland (Murray Collis Design, Australie); p. 47 h J. S. Sira; p. 49 hg Ron Sutherland (Paul Bangay Design); p. 55 g Ron Sutherland (Anthony Paul Design); p. 58 J. S. Sira (Chelsea Flower Show, Londres); p. 59 Brigitte Thomas; p. 60 Jerry Pavia; p. 60 b Ron Sutherland; p. 61 Henk Dijkman; p. 62 Steven Wooster; p. 63 h Marijke Heuff; p. 63 b Ron Sutherland (Balcon de John Zerning); p. 64 bg Friedrich Strauss; p. 68 b Ron Sutherland (Anthony Paul Design); p. 73 hg Ron Sutherland (Eco Design, Melbourne, Australie); p. 77 h Ron Sutherland (Anthony Paul Design); p. 79 b Brigitte Thomas; p. 86 J. S. Sira (conception Japanese Garden Company, Chelsea Flower Show, Londres 1991); p. 88 Ron Sutherland (Paul Flinton Design, Australie); p. 89 h Lamontagne; p. 89 b Alan Mitchell; p. 90 Ron Sutherland (Anthony Paul Design); p. 91 h Ron Sutherland; p. 91 b Ron Sutherland (Anthony Paul Design); p. 96 b Ron Sutherland (Paul Flemming Design, Australie); p. 101 h Lamontagne; p. 103 h Ron Sutherland; p. 105 g Ron Sutherland (Paul Flemming Design, Australie); p. 107 h Ron Sutherland (Hiroshi Nanamori Design); p. 109 b Ron Sutherland (Anthony Paul Design); p. 115 Brigitte Thomas (Preen Manor, Shropshire); p. 116 Ron Sutherland

(Anthony Paul Design); p. 117 h John Glover; p. 118 Ron Sutherland; p. 119 h Ron Sutherland (Anthony Paul design); p. 119 b Steven Wooster (Duane Paul Design Team, Chelsea Flower Show); p. 131 Jerry Pavia; p. 135 Brian Carter (Van Hage Design); p. 139 Steven Wooster (Mailstone Landscaping); p. 147 b John Neubauer (jardin Solomon, Washington); p. 152 b Steven Wooster (Julie Toll Design, John Chamber's Garden, Chelsea Flower Show, 1990); p. 153 b Mayer/Le Scanff (jardin de campagne, France); p. 163 h Steven Wooster (Gordon Collet Design); p. 172 b Ron Sutherland (Paul Flemming Design, Melbourne, Australie); p. 173 Gil Hanly (Bruce Cornish Garden, Auckland, NZ); p. 187 bg John Glover; p. 195 h Marianne Majerus (John Brooks Design, BBC Garden); p. 198 J. S. Sira (Action for Blind People, Chelsea Flower Show, Londres 1989); p. 200 Steven Wooster (conception H. Weijers); p. 201 h Marie O'Hara; p. 203 Brian Carter (conception Geoff et Faith Whitten, Chelsea Flower Show, Londres 1989); p. 217 Ron Sutherland (Michael Balston Design); p. 219 b Ron Sutherland (Rick Eckersley Design); p. 221 Ron Sutherland (jardin de Godfrey Amy, Jersey, Anthony Paul Design); p. 223 h David Askham.
Robert Harding Picture Library : p. 66 h Ian Baldwin Pool; p. 189 h James Merrell; p. 191 b BBC Enterprises/Redwood Publishing (conception David Sanford); p. 193 h BBC Enterprises/Redwood Publishing (conception Jean Bishop).
Houses & Interiors : p. 165 h; p. 201 b.
Andrew Lawson Photographic : p. 171.
Peter McHoy : p. 9 (David Sanford); p. 23; p. 31; p. 36; p. 37; p. 38; p. 39 h; p. 40; p. 41; p. 42; p. 43; p. 51 bg, bd; p. 53 (conception Kathleen McHoy), p. 53 b; p. 56; p. 57; p. 65 hd, bg; p. 66; p. 67; p. 68 h; p. 69 b; p. 70; p. 71; p. 83 h; p. 84 hd; p. 84 bd; p. 85; p. 87; p. 92; p. 93; p. 94; p. 95; p. 96 h; p. 97; p. 98; p. 99; p. 107 b; p. 111; p. 112; p. 113 g, mb, d; p. 120; p. 121; p. 122; p. 123; p. 124; p. 125; p. 126 ; p. 126 b (conception Alpine Garden Society); p. 127; p. 133 (conception Natural & Oriental Water Gardens); p. 137; p. 140 m, bg; p. 141 m.; p. 141 hd; p. 141 bd; p. 145 b; p. 146; p. 147 h; p. 148; p. 149; p. 150; p. 153 b; p. 154 h; p. 155 b; p. 157 h; p. 159 h; p. 161 b (conception Jean Bishop); p. 167 h; p. 168; p. 169; p. 172 h; p. 176 b; p. 177 b; p. 178; p. 179; p. 180 g; p. 181 b; p. 183 g, bg; p. 196 h, m, b; p. 197; p. 199; p. 202; p. 205; p. 206 h, b; p. 207 h, b; p. 208 h, b; p. 209 b; p. 215 h; p. 219 hg, hd; p. 224 h, bd, bg; p. 225; p. 227; p. 228; p. 229 b; p. 230; p. 231 h, b; p. 232 h, b; p. 233; p. 234 h, b; p. 235; p. 236; p. 237; p. 238 h, b; p. 239; p. 243 h; p. 245 h (conception Christopher Costin); p. 245 b; p. 249 hd, m, b; p. 252; p. 253; p. 254; p. 255; p. 256.
Harry Smith Hoticultural Collection : p. 26; p. 143; p. 144.
Derek St Romaine : p. 249 g; p. 251 h.

NOTES

NOTES

NOTES

NOTES

NOTES

NOTES

NOTES

NOTES